やさしく学んで基本が身につく!

2025年版

ユーキャンの

行政書士 はじめてレッスン

ユーキャン
自由国民社

はじめに

本書は、生涯学習のユーキャンが作成する、行政書士試験合格に必要な知識をわかりやすく学べる初学者向けの入門書です。

本書は、ユーキャンが**長年にわたる通信講座の教材制作や添削・質問指導**により培った**ノウハウ**をもとにつくられています。**初学者が間違えやすいところや理解しづらいところを徹底的に分析**し、初学者にもわかりやすく行政書士試験に必要な知識を効率よく身につけられるのが本書といえます。

本書は、法律をはじめて学ぶ方のことを想定し、次のような工夫をしています。

各科目の全体像を一目で把握

『体系樹』により科目内の各事項の関連性を知ることで、学習内容の全体が把握できます。

各レッスンごとのPOINTまとめ

レッスンごとに簡単なまとめ機能を設け、知識の定着化を図ります。

イラスト・図表をふんだんに使用

わかりにくい法律用語ばかりにならないようにイラストや図表を盛りだくさんにしています。
学習内容を視覚化することで、理解を助ける工夫です。

ユーキャン行政書士試験研究会

本書の使い方

はじめて行政書士試験の学習をする方のために、本書ではさまざまな工夫をしています。

STEP 1 勉強する科目を確認

法律をはじめて学ぶ方のことを想定し、日本の法律の頂点に立つ憲法を皮切りに、民法、商法と身近な事項から順に学べる構成にしました。徐々に法律の勉強に慣れていきましょう。

STEP 2 レッスンの概要を把握

これから勉強する内容の導入として、『アプローチ』を設けました。そのレッスンの概要やワンポイントアドバイスをイラストつきで表示。事前にイメージを思い描いてから勉強を始めましょう！

各科目の全体像を一目で把握

19～33ページには『イメージでつかむ行政書士～体系樹～』を設けました。『体系樹』は、試験科目の全体像をおおまかに理解することを目的としています。各科目の詳細学習に入る前に、全体像を把握しておけばスムーズに学習を進められるはずです。

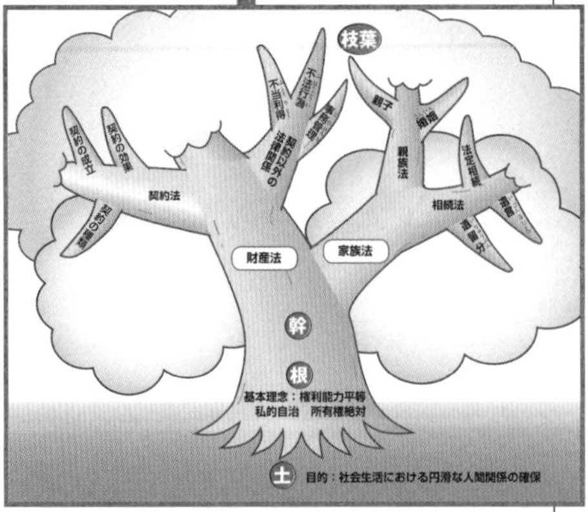

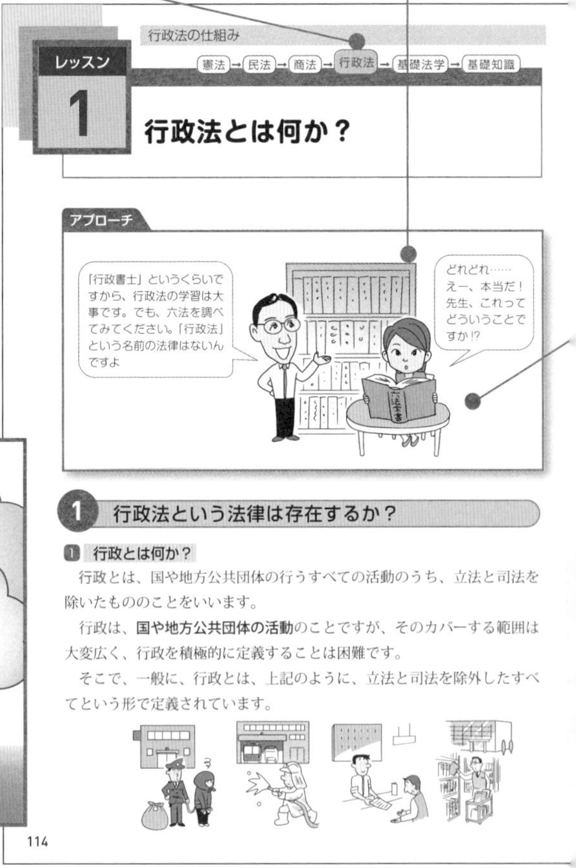

行政法の仕組み

憲法→民法→商法→行政法→基礎法学→基礎知識

レッスン 1

行政法とは何か？

アプローチ

「行政書士」というくらいですから、行政法の学習は大事です。でも、六法を調べてみてください。「行政法」という名前の法律はないんですよ

どれどれ……
え－、本当だ！
先生、これってどういうことですか!?

1 行政法という法律は存在するか？

1 行政とは何か？

行政とは、国や地方公共団体の行うすべての活動のうち、立法と司法を除いたもののことをいいます。

行政は、**国や地方公共団体の活動**のことですが、そのカバーする範囲は大変広く、行政を積極的に定義することは困難です。

そこで、一般に、行政とは、上記のように、立法と司法を除外したすべてという形で定義されています。

114

STEP 3 本文をしっかり学習

本書では、難しくなりがちな表現をできるだけわかりやすく記述することを心がけました。また、イラストや図表を多く用いることで、学習者の理解を助けるような内容としています。各レッスン末には『この章のPOINT』コーナーを設け、記載事項の再確認ができるようにしています。

登場人物

本書の監修を務めてもらっている弁護士の直井先生。
重要なポイントをわかりやすく解説してくれます。

行政書士を目指し勉強中のケイさん。初学者だからこその素朴な疑問が、時として大切なことを気づかせてくれるのです。

アシスタントキャラ

「ぴかりちゃん」

ひらめきや気づきの瞬間に「あっ！」と思ったら、ぴかりちゃん。

「アリクイさん」

知識をため込むアリクイさんは、大事なポイントが大好物。

---

2 行政法とは？

行政法とは、行政に関して定めた法律のことをいいますが、実際には、行政法という名称の法律は存在しません。行政法というのは、**行政にかかわる法律を総称したもの**なのです。

行政組織法	行政組織に関する法律 （例）内閣法、国家行政組織法、地方自治法
行政作用法	行政組織が行う行政活動について定めた法律 （例）行政手続法、行政代執行法《ぎょうせいだいしっこうほう》
行政救済法	行政活動によって不利益をこうむった国民が救済してもらうための手続やその内容について定めた法律 （例）行政不服審査法《ぎょうせいふふくしんさほう》、行政事件訴訟法《ぎょうせいじけんそしょうほう》

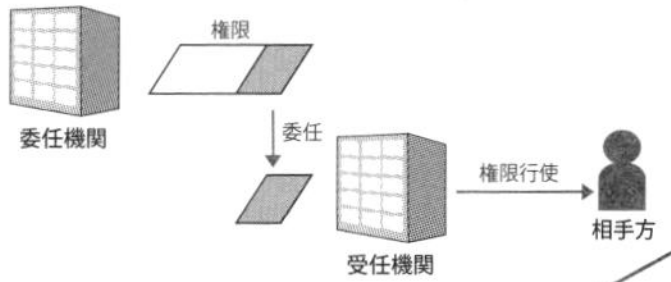

憲法
民法
商法
行政法
基礎法学
基礎知識

この章のPOINT

- **行政**とは、国や地方公共団体の行うすべての活動のうち、立法と司法を除いたもののことをいう。
- 行政法というのは、**行政にかかわる法律を総称したもの**であり、行政法という名称の法律は存在しない。
- 行政法に含まれる法律は、一般に、行政組織法《ぎょうせいそしきほう》、行政《ぎょうせい》作用法《さようほう》、行政救済法《ぎょうせいきゅうさいほう》の三つに分けられる。
- 行政組織法は、行政組織に関する法律のことである。
- 行政作用法は、行政組織が行う行政活動について定めた法律である。

115

＊ここに掲載しているページは「本書の使い方」を説明するための見本です。

目次

4 行政法

5 基礎法学

6 基礎知識

法律科目の学習のヒント

資格について

試験要項

（1）受験資格

年齢、学歴、国籍等に関係なく、誰でも受験することができます。

（2）受験スケジュールと手続

	インターネットによる申込み	郵送による申込み
受験願書配布・掲載期間	7月下旬から8月下旬頃	郵送配布…7月下旬から 8月下旬頃 窓口配布…7月下旬から 8月下旬頃
受験願書配布・掲載場所	（一財）行政書士試験研究センターのホームページ	（一財）行政書士試験研究センターほか各都道府県の指定箇所
申込受付期間	7月下旬から8月下旬頃	7月下旬から8月下旬頃
受験票の送付	10月下旬頃受験者宛に発送されます	
試験実施日	11月第2日曜日　午後1時～午後4時（3時間）	
合格者の発表	試験翌年の1月下旬に（一財）行政書士試験研究センター事務所の掲示板とホームページ上に合格者の受験番号一覧が掲載されます。なお、合格者には合格証が送付されます	

注）上記は令和6年度試験の日程をもとに作成しています。令和7年度試験の実施要項については変更になる可能性がありますのでご注意ください。
具体的な日程は、一般財団法人行政書士試験研究センターのホームページ等でご確認ください。

（3）出題形式

試験は、筆記試験によって行われます。

出題の形式は、「行政書士の業務に関し必要な法令等」については択一式および記述式、「行政書士の業務に関し必要な基礎知識」については択一式です。

記述式の問題は、40字程度で記述するものが出題されます。

（4）出題範囲

試験科目	内容等
行政書士の業務に関し必要な法令等（出題数 46 題）	憲法、行政法（行政法の一般的な法理論、行政手続法、行政不服審査法、行政事件訴訟法、国家賠償法および地方自治法を中心とする）、民法、商法および基礎法学のなかからそれぞれ出題されます
行政書士の業務に関し必要な基礎知識（出題数 14 題）	一般知識、行政書士法等行政書士業務と密接に関連する諸法令、情報通信・個人情報保護、文章理解に関して出題されます

注）法令については、例年４月１日現在施行されている法令に関して出題されます。

（5）配点

試験の配点は以下のようになります。

試験科目	出題形式		出題数	満　点
法令等	択一式	５肢択一式	40 問	160 点
		多肢選択式	3 問	24 点
	記述式		3 問	60 点
	計		46 問	244 点
基礎知識	択一式	５肢択一式	14 問	56 点
合　計			60 問	300 点

（備考）問題別配点

＊択一式　５肢択一式　１問につき４点
　　　　　多肢選択式　１問につき８点　空欄（ア～エ）一つにつき２点
＊記述式　１問につき 20 点

（6）合格基準

次の要件のいずれも満たした者が合格となります。

「行政書士の業務に関し必要な法令等」科目の得点が、満点の 50％以上である者
「行政書士の業務に関し必要な基礎知識」科目の得点が、満点の 40％以上である者
試験全体の得点が、満点の 60％以上である者

なお、合格基準については、問題の難易度を評価し、補正的措置が加えられることもあります。

（7）試験実施機関

名称：一般財団法人 行政書士試験研究センター　電話：03－3263－7700（試験専用）

https://gyosei-shiken.or.jp

資格について

受験データ

令和元年度から令和５年度までの受験データは以下のとおりです。

年　度	申込者数	受験者数	合格者数	合格率
令和元年度	52,386 人	39,821 人	4,571 人	11.48%
令和２年度	54,847 人	41,681 人	4,470 人	10.72%
令和３年度	61,869 人	47,870 人	5,353 人	11.18%
令和４年度	60,479 人	47,850 人	5,802 人	12.13%
令和５年度	59,460 人	46,991 人	6,571 人	13.98%

注）令和６年度の受験データについては、一般財団法人行政書士試験研究センター発表のものをご確認ください。

資格について

行政書士の業務と試験科目

1 行政書士はどのような仕事をするのか？

❶ 行政書士を目指す皆さんへ

本書を手にとり、これから**行政書士試験**の勉強を始めようとする皆さん！　皆さんは、行政書士試験に合格し、行政書士になることを目標とされているでしょう。

では、行政書士とはどのようなものでしょうか？　また、行政書士はどのような仕事をするのでしょうか？

行政書士は、知名度もあり、独立開業につながる資格として注目されています。しかし、その実体を知っている人は、行政書士を目指す皆さんのなかでも、どのくらいいるでしょうか？

これから具体的な勉強を始めるのに先立って、モチベーションを高める意味でも、行政書士とはどのようなものであり、どのような仕事をするのかを知ってもらうことにしましょう。

❷ 行政書士とはどのようなものか？

行政書士は、「**行政書士法**」という法律に基づく**国家資格**です。つまり、行政書士は、国のお墨付きをもらって仕事をするもので、専門的な分野について資格のある者が業務を行う、いわゆる士業（しぎょう・さむらいぎょう）の一つです。その専門性の証《あかし》として、法律上、行政書士でなければ報酬を得ることができない業務（**独占業務**《どくせんぎょうむ》といいます）が定められています。

そして、名前に「行政」とつくとおり、行政書士は、国や地方公共団体などの行政にかかわる仕事をしています。皆さんは、たとえば市役所や運転免許試験場などで、書類を書いて提出しなければならないのに、どう書いていいかわからず、困ったことはありませんか？　このような場合に、国民と行政との間に行政書士のように行政手続に詳しい専門家が入れば、手続がスムーズに進むようになるでしょう。

行政書士は、このような国民と行政との間を橋渡しする役割を果たすことを期待されています。

さらに最近では、行政書士は、単に依頼に基づいて書類を作成してさえいればいいというものではなくなってきています。たとえば依頼者にとって、営業等の許認可《きょにんか》を取得することは、目的ではなく、手段にすぎません。許認可の取得には、たとえば「新たに事業を開始する」などの目的があり、そのために必要な営業等の許認可を取得するわけです。そして、これに加えてその事業を開始するために会社を設立することもあります。**今日の行政書士は、これらすべてについて、総合的な立場から、コンサルタントの役割を果たすことをも求められるようになっています。**

このように、今日の社会において行政書士が果たしている役割は非常に重要であり、社会的に必要とされているといえます。

3　行政書士の行う業務とはどのようなものか？

では、具体的に、行政書士はどのような仕事をするのでしょうか？

行政書士法は、行政書士の業務について、次のように定めています。

① 他人の依頼を受け報酬《ほうしゅう》を得て、官公署《かんこうしょ》に提出する書類（電磁的記録《でんじてききろく》を含む。以下同じ）その他権利義務または事実証明《じじつしょうめい》に関する書類を作成すること
② 他人の依頼を受け報酬を得て、①の官公署に提出する書類を官公署に提出する手続および①の書類にかかる許認可等に関する意見陳述《いけんちんじゅつ》のための手続において官公署に対してする行為について代理すること
③ 他人の依頼を受け報酬を得て、行政書士が作成した①の官公署に提出する書類にかかる許認可等に関する審査請求等の行政庁に対する不服申立ての手続について代理し、およびその手続について官公署に提出する書類を作成すること
④ 他人の依頼を受け報酬を得て、①の契約その他に関する書類を代理人として作成すること
⑤ 他人の依頼を受け報酬を得て、①の書類の作成について相談に応じること

（注）①～⑤に該当する行為であっても、他の法律によって制限されている場合には、行うことができません。たとえば、司法書士の独占業務である、法務局への書類の提出などがこれにあたります。
また、③の業務は、一定の研修を修了した行政書士（特定行政書士）のみが行うことができます。

これを読んだだけでは、何が行政書士の業務であるか、わかりにくいかもしれません。それぞれについて、もう少し詳しく説明していきましょう。

①の業務は、**依頼を受けて書類を作成し、これにより報酬を受け取る**という仕事です。この業務が、先ほど述べた行政書士の**独占業務**です。

「官公署」とは、国や地方公共団体の機関の事務所のことです。官公署に提出する書類には、たとえば、**飲食店の営業許可の申請書類**や、**外国人が日本に帰化する際の申請書類、建設業や産業廃棄物処理業などの事業を始める際の許可の申請書類**などがあります。

「権利義務」に関する書類とは、権利の発生や消滅などの効果を生じさせることを目的とする、人の意思表示を内容とする書類のことです。これには、たとえば、**各種の契約書**や、**遺言書**（「いごんしょ」または「ゆいごんしょ」）、**遺産分割協議書《いさんぶんかつきょうぎしょ》、クーリング・オフを通知する内容証明《ないようしょうめい》**

郵便《ゆうびん》などがあります。

「事実証明」に関する書類とは、私たちの社会生活にかかわる事項を証明するための文書をいいます。これには、たとえば、**各種の議事録**や、**会《かい》計《けい》帳《ちょう》簿《ぼ》**、**実《じっ》地《ち》調《ちょう》査《さ》に基づく土地の現《げん》況《きょう》測《そく》量《りょう》図《ず》**などがあります。

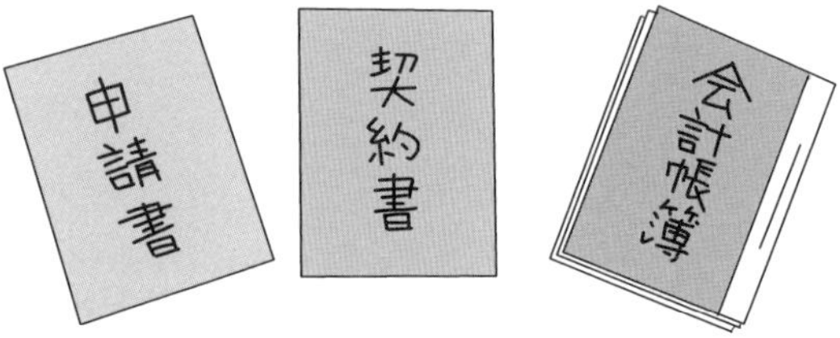

②の業務は、**依頼を受けて、申請者の代理人として、①の書類を官公署に提出したり、①の書類にかかる許認可等に関する意見陳述のための手続を行い、報酬を受け取る**という仕事です。

「許認可等に関する意見陳述のための手続」とは、許認可等に関し、私たち国民に不利益な処分がなされる場合に、事前に私たちにその処分に関する意見を述べる機会を与える手続のことです。たとえば、自動車の運転免許が取り消される場合などに行われます。

③の業務は、**依頼を受けて、申請者の代理人として、行政書士が作成した①の書類にかかる許認可等に関し、行政庁に対する不服申立ての手続を行ったり、その手続について官公署に提出する書類を作成して、報酬を受け取る**という仕事です。たとえば、飲食店の営業許可の申請書類を作成して提出したが、許可が下りなかった場合に、審査請求書などの書面を作成し、行政庁に不服申立てを行うことがこれにあたります。

④の業務は、**依頼を受けて、①の書類を代理人として作成し、報酬を受け取る**という仕事です。 ①と異なるのは、「代理人」として書類の作成権限があるということです。したがって、行政書士は、申請者の代理人として書類に署名することや、本人に確認しなくても書類の記載を訂正することができます。今は違いがよくわからないかもしれませんが、民法の「代理制度」について勉強すると、この違いがわかるようになるでしょう。

⑤の業務は、**依頼を受けて、①の書類の作成について相談に乗り、それに対して報酬を受け取る**という仕事です。

ここまでの説明を読んで、行政書士の仕事というのは、いろいろな分野にわたって、ずいぶんたくさんあるという印象を受けた人も多いのではないでしょうか？　行政書士が行うことのできる業務は、**細かく分けると１万種類を超える**といわれています。この種類の多さこそが、行政書士の業務の特徴であるといえます。

逆にいえば、取り扱う業務の種類が多いがゆえに、「行政書士といえば、これ！」という専門分野がないということになるかもしれません。はじめに述べた、行政書士の実体がつかめないことの原因は、このあたりにあるのかもしれません。

ただ、考えようによっては、幅広い業務のなかから、自分に向いている業務や興味のある業務を探し出し、勉強したり実務で経験を積むことによってこれに磨《みが》きをかけ、自分の得意分野とすることができるのだともいえます。そして、この得意分野は、そのまま行政書士としての自分のセールスポイントになるのです。この点は、行政書士の魅力の一つだといえるでしょう。実際に、現在活躍している行政書士の先輩たちのなかには、自分の得意分野をもっている人も多くいるのです。

2　行政書士試験の試験科目は？

行政書士になるには、いくつかの方法があります。このうち、最も一般的といえるのは、行政書士試験に合格することでしょう。では、行政書士試験に合格するためには、何を勉強すればいいのでしょう？

ここでは、行政書士試験には、どのような試験科目があるかについて説明します。

行政書士試験の科目は、大きく二つに分けられます。

その一つは、「法令等《ほうれいとう》科目」です。行政書士は「街の法律家」とよばれることもあるように、その業務に、法律が深くかかわっています。そこで、試験科目として、行政書士の業務に関し必要な法令等に関する科目が設けられています。

もう一つは、「基礎知識科目」です。行政書士の業務に関し必要な基礎知識に関する問題が出題されます。この基礎知識科目が設けられていることが、行政書士試験の特徴の一つといえます。

1 行政書士の業務に関し必要な法令等科目とは？

行政書士試験では、次の五つの法律分野から問題が出題されます。

① 憲法　② 行政法　③ 民法　④ 商法　⑤ 基礎法学

① 憲法

憲法は、法律のなかの法律です。わが国ではたくさんの法律が制定されていますが、そのなかで**最高の地位を認められているのが憲法です**。憲法に違反する内容の法律をつくることは認められません。

行政書士の日常的な業務のなかで、憲法にお目にかかることはほとんどないといってもいいでしょう。しかし、「街の法律家」たるもの、最高法規である憲法について理解しておくことが求められるのです。

② 行政法

先ほど説明したとおり、行政書士は、国や地方公共団体などの行政にかかわる仕事をしています。そこで、行政法が行政書士試験の試験科目であるのは当然のように思えますが、実は「行政法」という名前の法律はありません。詳しくはのちほど説明しますが、**行政に関する数多くの法律を総称して「行政法」とよんでいます**。行政書士試験では、「行政法の一般的な法理論」、「行政手続法」、「行政不服審査法《ぎょうせいふふくしんさほう》」、「行政事件訴訟法《ぎょうせいじけんそしょうほう》」、「国家賠償法《こっかばいしょうほう》」および「地方自治法《ちほうじちほう》」を中心に出題されます。

③　民法

民法は、**私たちの財産と家族に関する法律です**。私たちにとっては最も身近な法律といえるでしょう。

先ほど説明したとおり、「権利義務」に関する書類である各種の契約書や、遺言書、遺産分割協議書を作成することも行政書士の仕事ですから、所有権や契約、結婚や遺産相続などについて定めている民法についての知識は必須といえます。

④　商法

商法は、**商人《しょうにん》が行う取引を規律する法律です**。そして、株式会社をはじめとする各種の会社について規定している会社法も、この商法の範囲に含まれます。

現代の取引社会では会社（特に株式会社）が大きな役割を果たしています。また、この会社の根本的なルールである「定款《ていかん》」の作成も行政書士の業務の一つに数えられています。

そのため、行政書士には、商取引および会社に関する知識も必要なのです。

⑤　基礎法学

基礎法学は、他の法令等科目とは違って、具体的な法律から問題が出題されるわけではありません。**法律学を学ぶうえで非常に重要かつ基礎的な事項から出題されます**。

2　行政書士の業務に関し必要な基礎知識科目とは？

行政書士の業務は幅広いものであり、行政書士は、法律に関する知識さえあればよいというものでありません。そこで、行政書士試験では、行政書士が業務を行ううえで必要となる基礎的な知識を問うものとして、次に掲げる分野に関する問題も、それぞれの分野から1題以上出題することとされています。

① 一般知識　　② 行政書士法等行政書士業務と密接に関連する諸法令
③ 情報通信・個人情報保護　　④ 文章理解

①　一般知識

行政書士の業務は多岐《たき》にわたるため、仕事のうえでさまざまな制度にかかわる可能性があります。これらの制度を理解するには、制度自体についての知識はもちろん、**その背後にある社会事情や、時事問題など**も理解しておく必要があります。そこで、行政書士試験においては、**政治**、**経済**および**社会**等を含む**一般知識**の分野に関して、幅広い範囲からの出題がなされています。

②　行政書士法等行政書士業務と密接に関連する諸法令（業務関連諸法令）

行政書士がその業務においてかかわる法令は、法令等科目で出題されるものだけではありません。先ほど説明した、行政書士の業務について定めている**行政書士法**はもちろん、行政書士が多くの業務に携わることから、多くの法令がその業務に関連することになります。そのうち、**戸籍法**や**住民基本台帳法**など、**行政書士業務と密接に関連する諸法令**も、行政書士試験の出題範囲に含まれています。

③　情報通信・個人情報保護

行政書士の主要な業務である書類の作成については、従来、紙ベースだった申請に電子申請《でんししんせい》が認められるようになってきており、**デジタル化の波**は行政書士の業務にも押し寄せています。これからの時代の行政書士に必須の知識として、**情報通信・個人情報保護**の分野も行政書士試験の出題範囲とされています。

④　文章理解

行政書士は、その業務として、依頼者からの相談を受け、これに基づき書類を作成し、官公庁に提出し、許認可等を受けるといったことを行います。そのいずれの場面においても、**国語の能力が必要となる**ことは明らかでしょう。そのため、行政書士試験では文章の趣旨を問う問題や、文章の並べ替え問題など、**文章理解**についての問題が出題されます。

イメージでつかむ行政書士

行政書士試験の受験勉強を始めると、各科目のかなり細かな部分まで踏み込んで学習することになります。ありがちなのが、細かな部分を理解しようとするあまり、全体像を見失うことです。全体像を把握できていないと、効率的な学習はのぞめません。

本書では、科目の全体像をつかむために、「体系樹」を作成しています。各科目の学習に入る前に、「体系樹」から全体像をつかんでおいてください。また、学習中に全体像や各レッスンの位置づけを見失いそうになったときには、ここに戻って、現在位置を確認してみてください。

常に全体を意識しながら、学習を進めると、効果的です。

科目の全体像

行政書士試験は、行政書士の業務に関係する科目を試験科目としています。その試験科目は、「行政書士の業務に関し必要な法令等《ほうれいとう》（法令等科目）」と「行政書士の業務に関し必要な基礎知識（基礎知識科目）」に大きく分けられます。法令等科目と基礎知識科目の両方で、それぞれ一定の割合以上の点数をとらなければ、行政書士試験に合格することはできません。

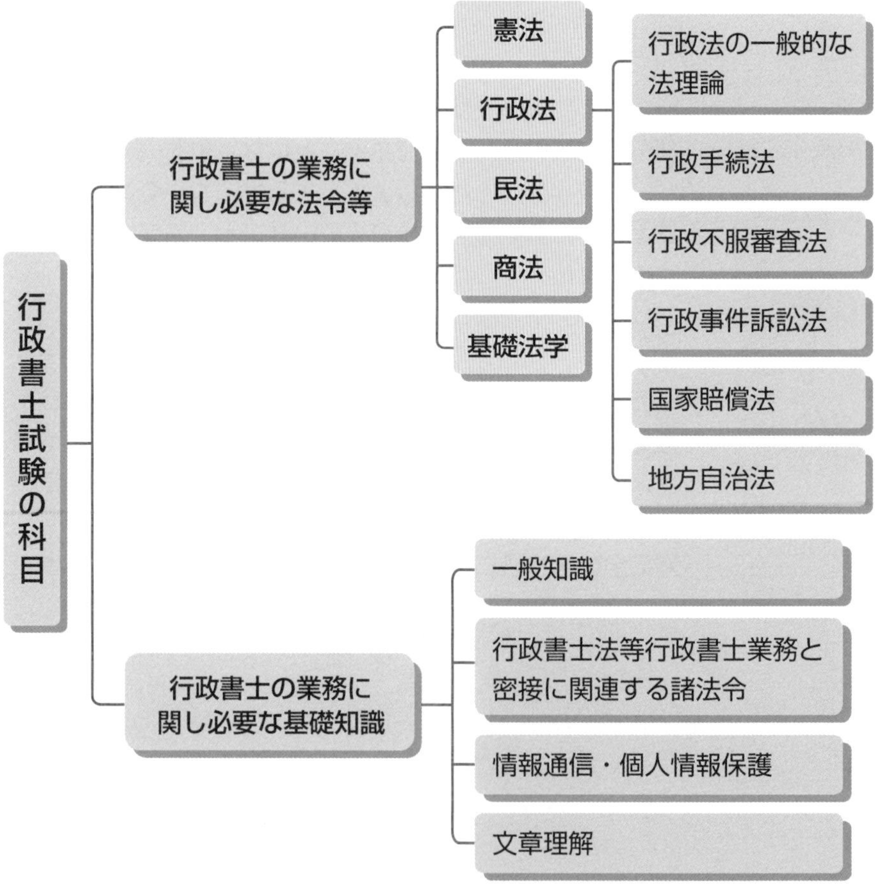

体系樹の見方

本書では、各科目を下の図のような大きな「樹木」としてとらえ、これを「体系樹」と名づけています。体系樹を、「枝葉」「幹」「根」「土」の4つに区分しました。ここでいう「土」や「根」は、試験では直接問われる可能性は低いですが、各科目において理解の土台となるものです。まずはこの部分から着実に学習を進めていきましょう。

●体系樹の見本

●体系樹の基本構成

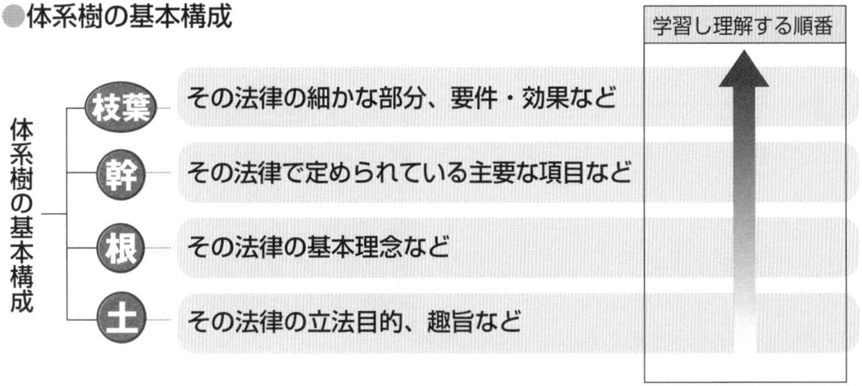

憲法

概要

憲法では、国民にどのような権利が保障されているかということ、また、これらの権利を保障するために、国の権力がどのように分けられ、それぞれがどのような役割を担っているかということ、の二つの点に注意して学習する必要があります。

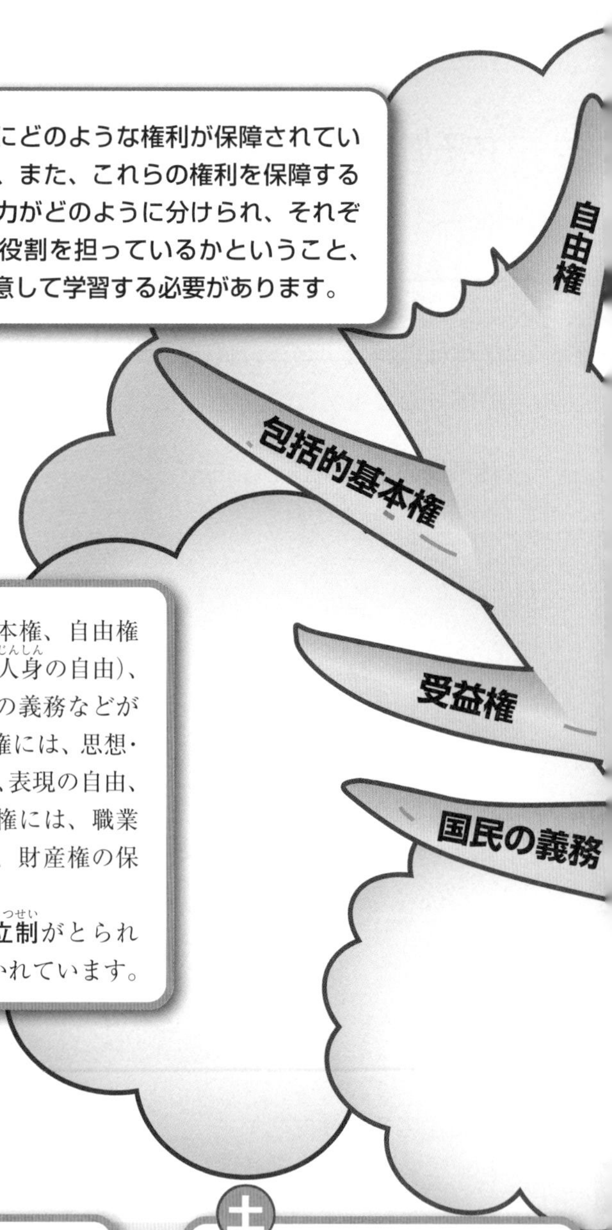

枝葉

人権保障については、包括的《ほうかつてき》基本権、自由権(**精神的自由権**、経済的自由権、人身《じんしん》の自由)、社会権、受益権《じゅえきけん》、参政権《さんせいけん》、国民の義務などが定められています。精神的自由権には、思想・良心(信条《しんじょう》)の自由、信教の自由、表現の自由、学問の自由があり、経済的自由権には、職業選択の自由、居住・移転の自由、財産権の保障などがあります。

統治機構については、**権力分立制**《けんりょくぶんりつせい》がとられており、国会・内閣・裁判所に分かれています。

根

わが国の憲法の基本理念は、次の三つです。

① **国民主権**
② **基本的人権の尊重**
③ **平和主義**

土

憲法の究極の目的は、個人の尊《そん》厳《げん》を確保することにあります。他の法律は、国民の権利や自由を規制するものであるのに対して、**憲法は、法律を制定し実施する国家権力を規制する**という点に特徴があります。

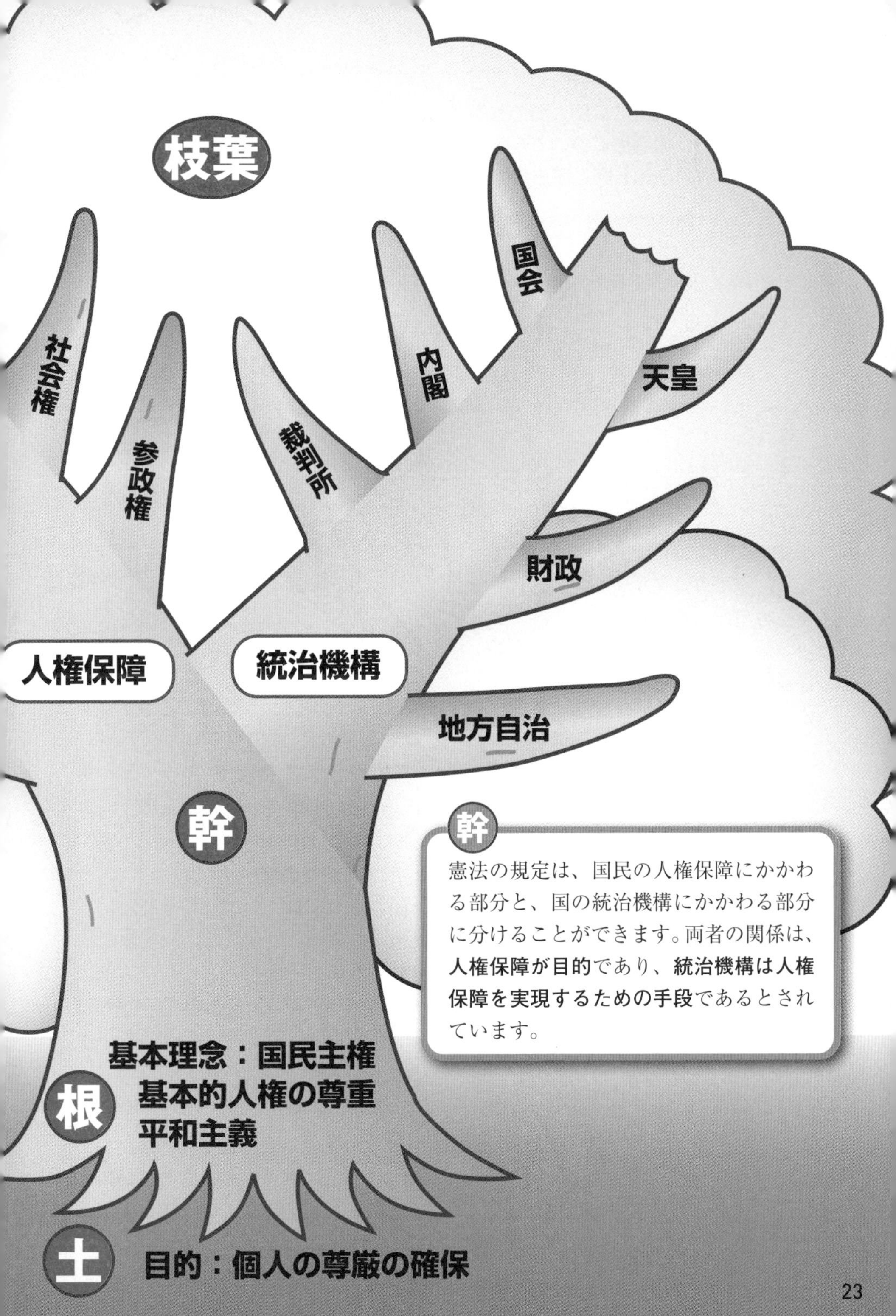

幹

憲法の規定は、国民の人権保障にかかわる部分と、国の統治機構にかかわる部分に分けることができます。両者の関係は、**人権保障が目的**であり、**統治機構は人権保障を実現するための手段**であるとされています。

民法

概要

民法は、個人間の財産あるいは家族の関係など、市民相互の関係について規定する私法《しほう》の一般法です。民法は、財産《ざいさん》法《ほう》の分野と家族法《かぞくほう》の分野に大きく分けることができます。

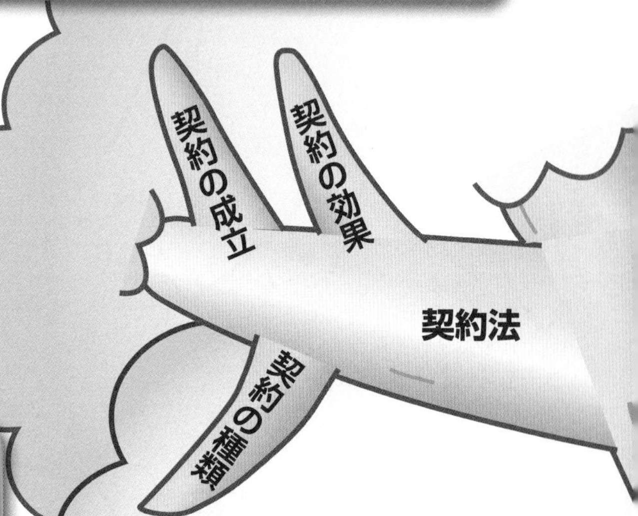

枝葉

民法の出題の中心は、財産法です。なかでも**契約および契約にかかわる法律関係**について多く出題されます。契約以外では、不法行為についての理解が重要です。

家族法の分野は、財産法に比べ出題は少ないですが、**親族法《しんぞくほう》と相続法《そうぞくほう》に定められている制度**を理解しておくことが必要です。

根

① **権利《けんり》能力《のうりょく》平等《びょうどう》の原則**
② **私的自治《してきじち》の原則**
③ **所有権絶対《しょゆうけんぜったい》の原則**

上記の３原則は、いずれも無制限に認められるわけではなく、一定の制約がなされています。

土

人の社会生活が円滑に営まれるためには、そこに一定のルールが必要であり、そのルールを定めているのが民法です。民法は、**社会生活における円滑な人間関係を確保すること**を目的としています。

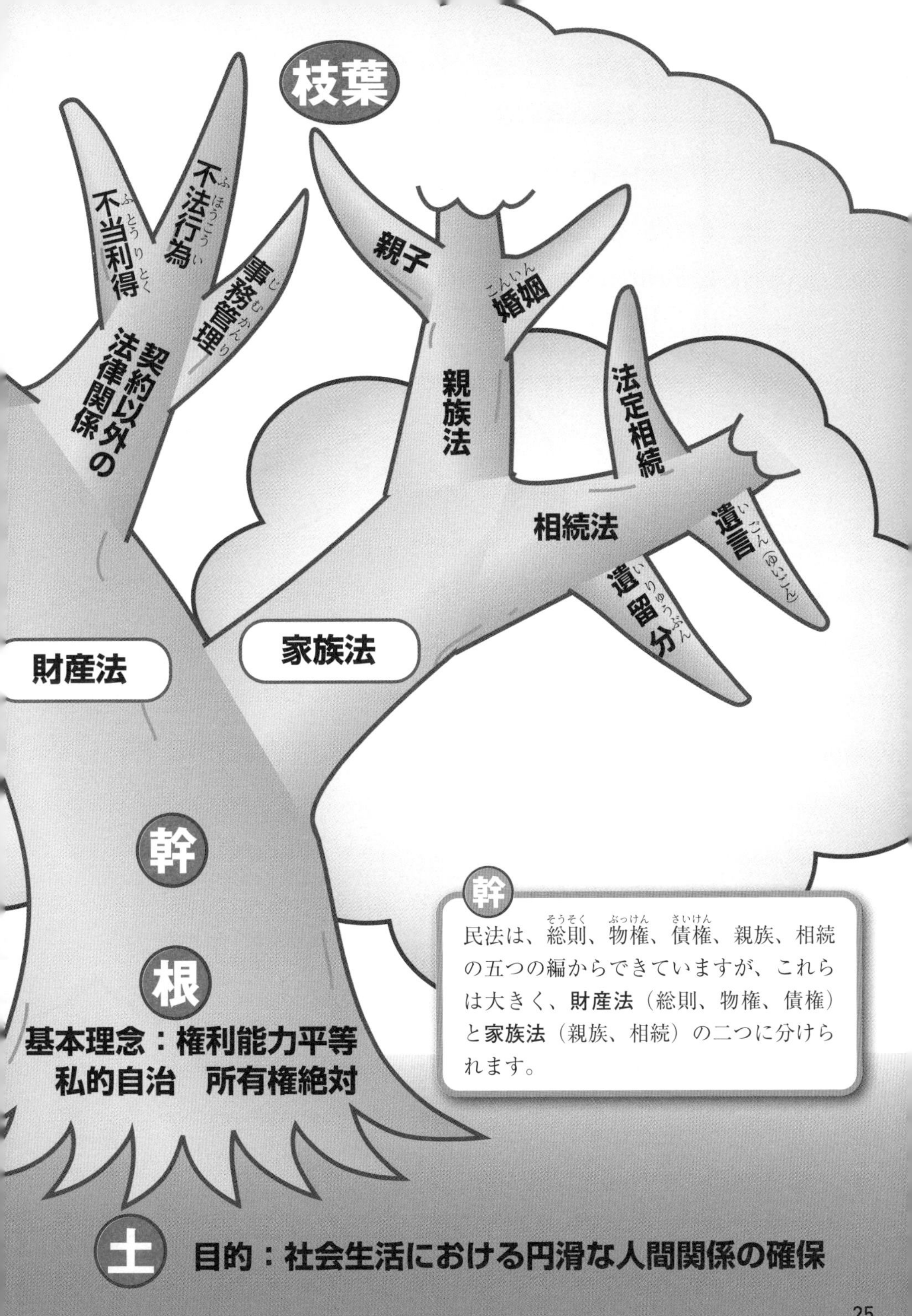

幹

民法は、総則《そうそく》、物権《ぶっけん》、債権《さいけん》、親族、相続の五つの編からできていますが、これらは大きく、**財産法**（総則、物権、債権）と**家族法**（親族、相続）の二つに分けられます。

商法

概　要

行政書士試験の商法は、商法と会社法から出題されます。
商法は、民法の特別法《とくべつほう》であり、利益を追求する企業が行う取引に適用される法律です。したがって、商法に規定されていない事項については、民法が適用されます。
会社法は、会社という組織のつくり方や運営の仕方を定めた法律です。

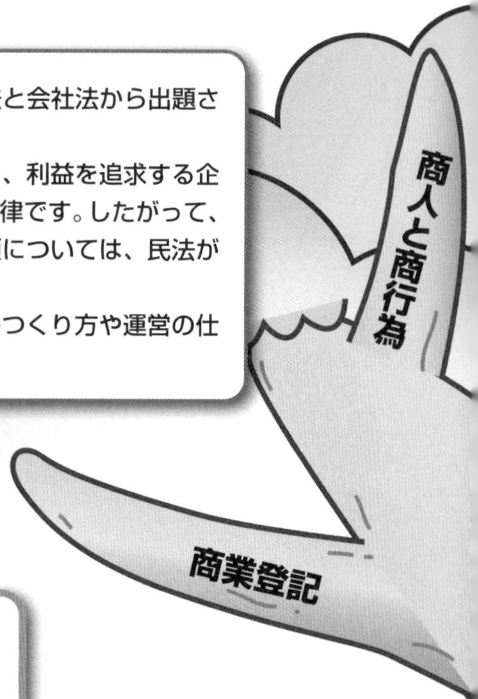

枝葉

商法では、商法の基本概念である「**商**《しょう》**人**《にん》」と「**商行為**《しょうこうい》」の理解が重要です。
会社法は、株式会社と持分会社《もちぶんがいしゃ》の二つに大きく分けられますが、**出題の中心は株式会社**です。

根

商法は、**企業の取引が円滑に行われる**ようにするため、民法の定めるルールを修正しています。

土

商法と会社法は、企業が行う取引において、取引の当事者となる**企業とその相手方（企業・一般消費者等）との間の経済的利益の調整**を目的としています。

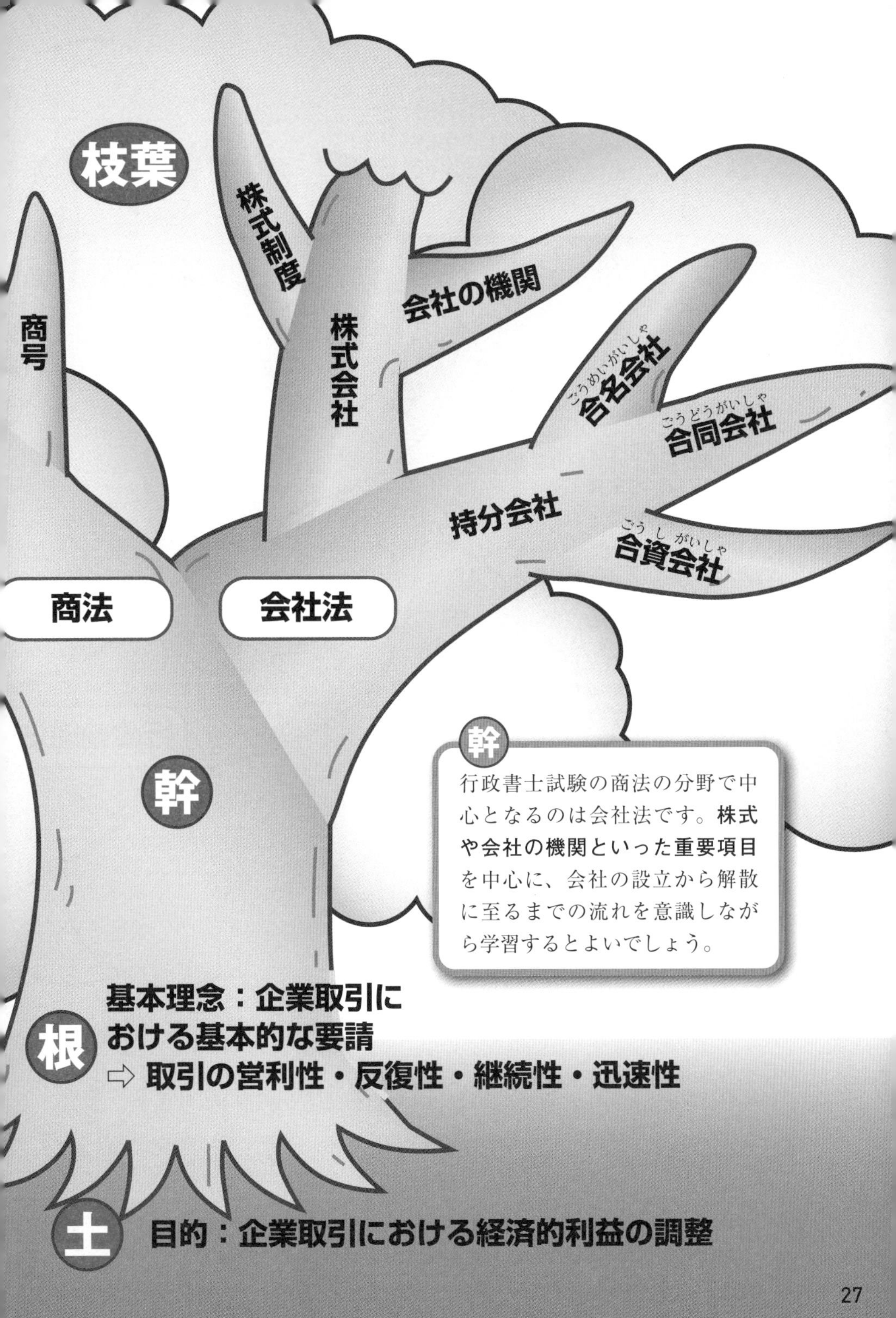
枝葉
商号
株式制度
株式会社
会社の機関
合名会社《ごうめいがいしゃ》
合同会社《ごうどうがいしゃ》
持分会社
合資会社《ごうしがいしゃ》
商法
会社法
幹
幹
行政書士試験の商法の分野で中心となるのは会社法です。株式や会社の機関といった重要項目を中心に、会社の設立から解散に至るまでの流れを意識しながら学習するとよいでしょう。
根
基本理念：企業取引における基本的な要請
⇨ 取引の営利性・反復性・継続性・迅速性
土
目的：企業取引における経済的利益の調整

行政法

概要

行政法は、国や地方公共団体と国民とのかかわり合いについて定めている法分野です。

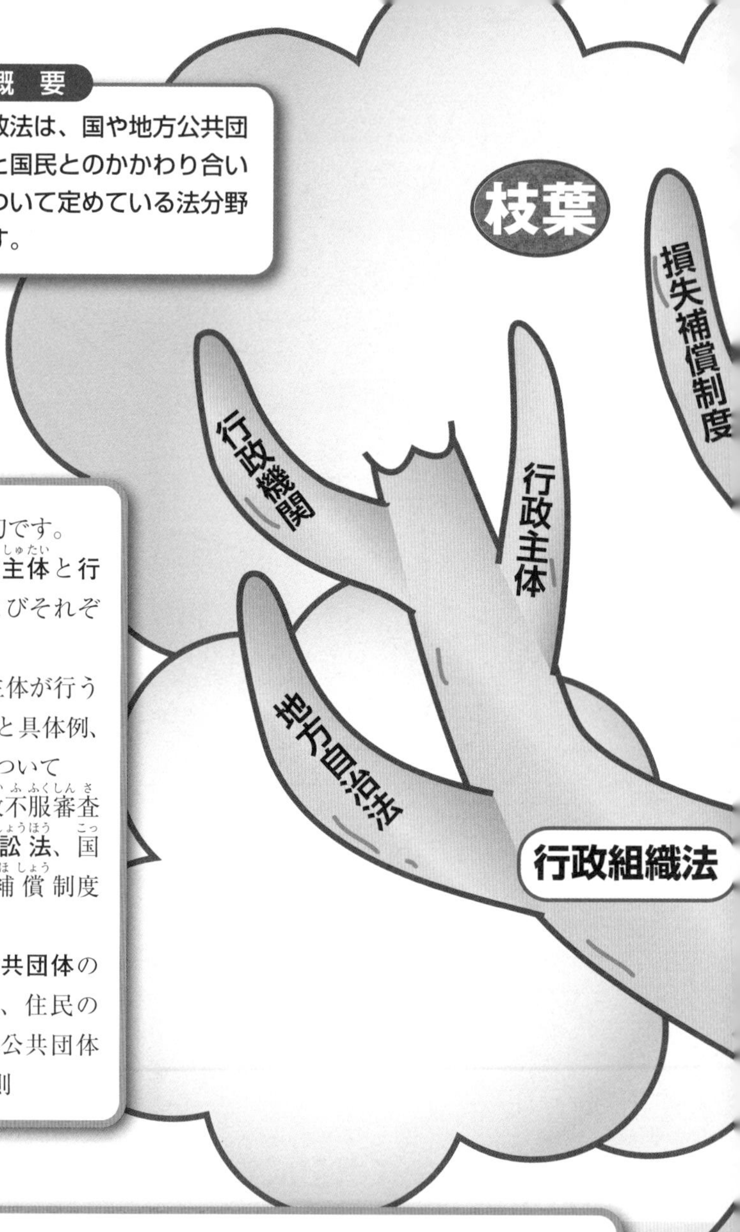

枝葉

次の事項の理解が大切です。

行政組織法《ぎょうせいそしきほう》：**行政主体《ぎょうせいしゅたい》**と**行政機関**の意味およびそれぞれの権限

行政作用法《ぎょうせいさようほう》：行政主体が行う**行政行為《ぎょうせいこうい》**の意味と具体例、行政行為の効力について

行政救済法《ぎょうせいきゅうさいほう》：行政不服審査《ぎょうせいふふくしんさ》法《ほう》、**行政事件訴訟法《ぎょうせいじけんそしょうほう》**、国《こっ》家賠償法《かばいしょうほう》、損失補償《そんしつほしょう》制度について

地方自治法《ちほうじちほう》：**地方公共団体**の種類や機関、権能、住民の意義と権利、地方公共団体で定める条例や規則

根

行政法の最も重要な原理は、**法律による行政の原理**です。具体的内容として、法律の優位の原則、法律の留保《りゅうほ》の原則、法律の法規創造力《ほうきそうぞうりょく》の原則があります。

土

行政法は、憲法の目的である国民の権利・自由を保障するため、行政権による**権力の濫用《らんよう》を抑制し国民の権利・自由を保護**することを目的としています。

幹
行政法は、行政組織法、行政作用法、行政救済法の三つの分野に分けられます。
地方自治法は、行政組織法に分類されます。
行政不服審査法
行政事件訴訟法
国家賠償法
行政上の強制措置
行政行為
行政救済法
行政作用法
幹
法律による行政の原理
⇧
基本理念：
国民の権利・自由を保障すること（憲法の目的）
根
土
目的：行政権による権力の濫用を抑制し
国民の権利・自由を保護

基礎法学

概要

行政書士試験の基礎法学の分野で出題される事項の一つは、法とは何かということ（法の意義・目的）や、法の効力、法の解釈の方法など、法律実務家としての行政書士に必要な基礎的な法的素養に関するものです。
もう一つよく出題されるのは、民事《みんじ》訴訟《そしょう》などの法的な紛争の解決方法に関するものです。

枝葉

法律に関する基礎知識については、法の意義、法の分類、法の効力、法の解釈、基礎的な法令用語などが出題されます。
その他の法律知識については、民事訴訟制度をはじめ、和解《わかい》、調停《ちょうてい》、仲裁《ちゅうさい》などの法的な紛争に関するさまざまな解決手段に関する基礎的な知識が問われます。

根

行政書士試験で出題される基礎法学の分野は、**行政書士が業務を行ううえで前提となる法律知識**を問おうとするものです。

士

行政書士の業務には数多くの法律がかかわっており、基礎法学の分野では、**これらの法律に共通する基礎的な法律知識**が出題されます。

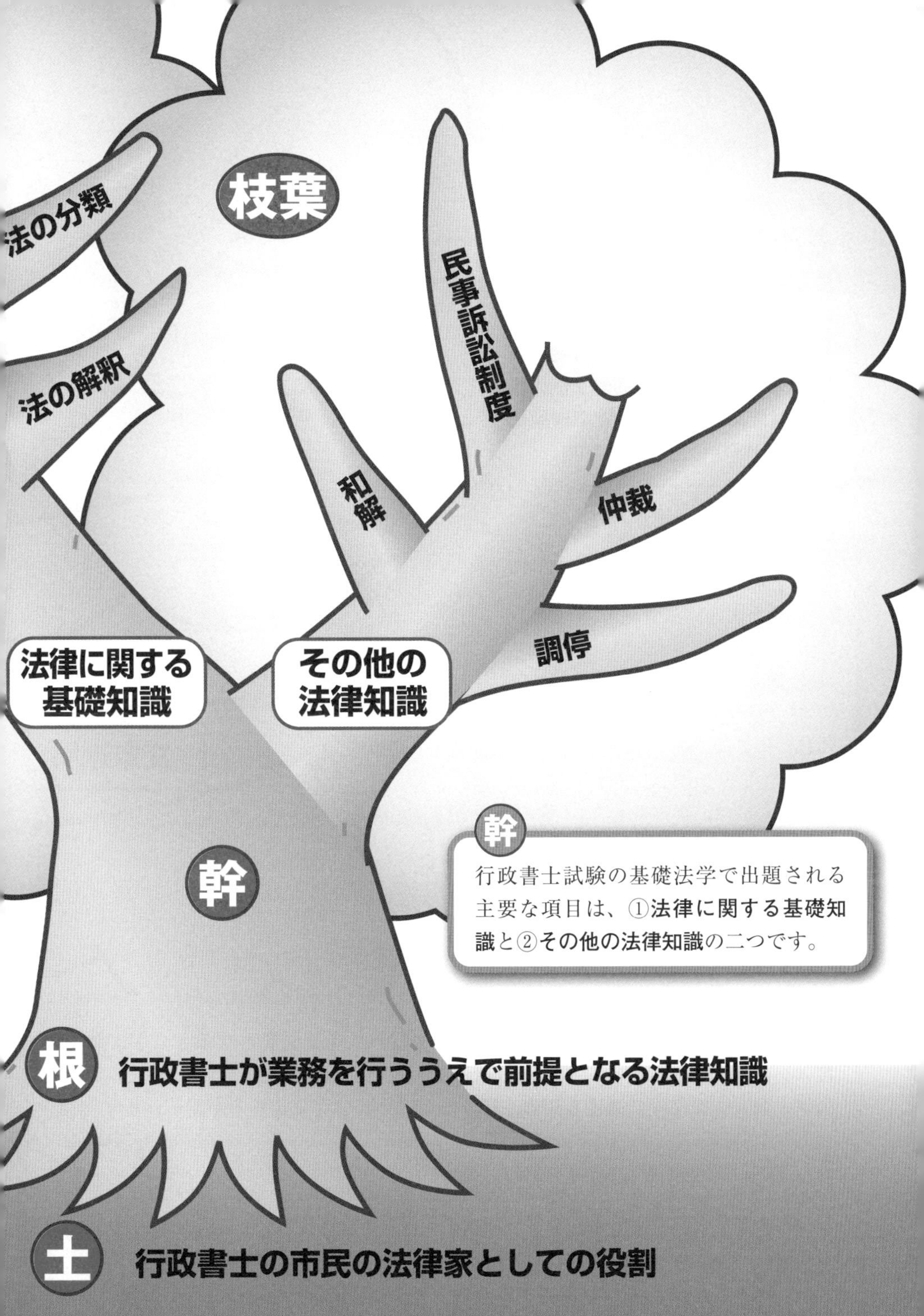
枝葉
法の分類
法の解釈
民事訴訟制度
和解
仲裁
調停
法律に関する基礎知識
その他の法律知識
幹
行政書士試験の基礎法学で出題される主要な項目は、①法律に関する基礎知識と②その他の法律知識の二つです。
幹
根
行政書士が業務を行ううえで前提となる法律知識
土
行政書士の市民の法律家としての役割

基礎知識

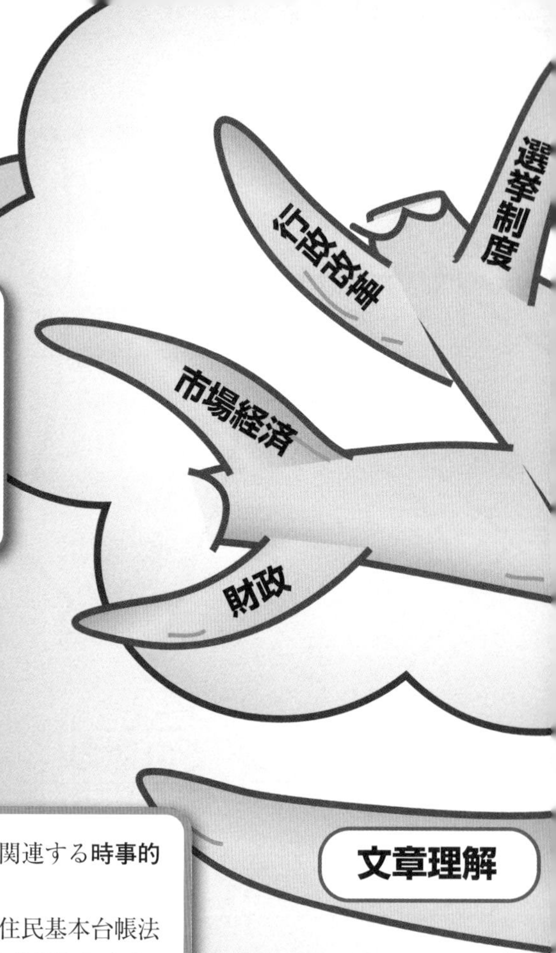

概　要

行政書士試験の基礎知識の分野は、一般知識、行政書士法等行政書士業務と密接に関連する諸法令（業務関連諸法令）、情報通信・個人情報保護に関する事項、文章理解の四つの分野から出題されます。

枝葉

① 一般知識
② 業務関連諸法令
③ 情報通信
④ 個人情報保護
⑤ 文章理解

①については、政治・経済・社会等に関連する**時事的な問題**もよく出題されます。
②については、行政書士法、戸籍法、住民基本台帳法等、行政書士の業務に必要な諸法令から出題されます。
③、④については、**法令からの出題が頻繁《ひんぱん》になされており、**その意味で出題範囲を絞りやすい分野です。

根

行政書士が知っておくべき、あるいは業務を行ううえで必要となるさまざまな社会制度、行政書士業務と密接に関連する**諸法令、進展する情報化社会**のもとで必要な情報通信・個人情報保護に関する知識、行政書士に必要な文章読解力が問われます。

土

行政書士が多岐《たき》にわたる業務を行うには、その業務に直接必要となる制度や手続に関する知識だけでなく、**その背景にある社会事情などについての理解**も求められます。そこで、行政書士試験では、「行政書士の業務に関し必要な基礎知識科目」が出題されます。

環境問題
社会保障
IT関連法規
情報通信技術の用語
一般知識
情報通信・
個人情報保護
枝葉
個人情報保護法
戸籍法
行政書士法
住民基本台帳法
業務関連
諸法令
幹
○行政書士が知っておくべき社会制度
○行政書士業務と密接に関連する諸法令
○情報化社会の下で必要な情報通信・個人情報保護に関する知識
○行政書士に必要な文章読解力
幹
基礎知識の分野は、「一般知識」「業務関連諸法令」「情報通信・個人情報保護」「文章理解」の4分野から出題されます。
根
土
行政書士の市民の法律家としての役割

〈 本書における法令の基準日 〉

本書は、原則として、令和６年９月１日現在施行の法令および令和６年９月１日現在において令和７年４月１日までに施行されることが判明している法令に基づいて執筆されています。

なお、執筆以後の法改正情報等については、下記「ユーキャンの本」ウェブサイト内「追補（法改正・正誤）」にて、適宜お知らせいたします。

https://www.u-can.co.jp/book/information

1

憲法

Lesson 1　憲法とは何か？

Lesson 2　憲法の保障する人権とは？

Lesson 3　国を統治する仕組みはどのようになっているか？

レッスン 1

憲法とは何か？

アプローチ

1 法（法律）とは何か？

私たちは、社会生活を営むうえで、さまざまなルールを守っていかなければなりません。こうしたさまざまなルールのことを**社会《しゃかい》規範《きはん》**といいますが、法は、この社会規範の一つです。

社会規範のなかでも、**法は、その内容が国家権力によってその遵守《じゅんしゅ》を強制される**ことに特徴があります。すなわち、私たちが、法を守らなかった場合、刑罰などの罰則を科せられたり、裁判などにより損害賠償の対象となったりするなどのペナルティが課されます。

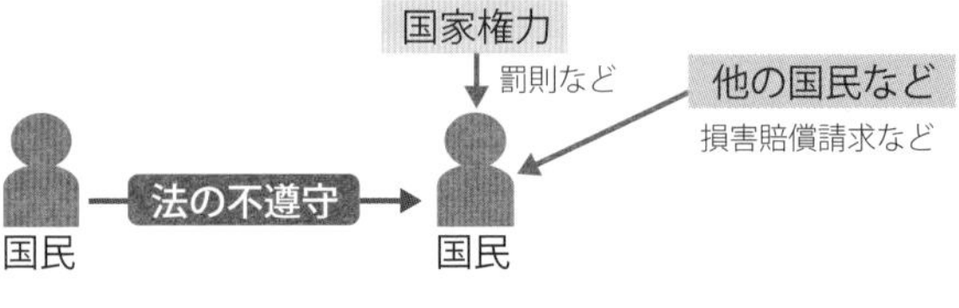

法のほかにも社会規範として重要なものがあり、その一つに**道徳**があります。道徳も、社会生活において私たちが守るべきことを示すものですが、国家権力による強制がないところに、法との違いがあります。

たとえば、道徳においても「約束は守らなければならない」との規範は認められますが、その違反（道徳の不遵守）があったからといってただちにペナルティが課されるわけではありません。

2 憲法は何のために存在する法律か？

1 憲法とはどのような存在か？

憲法も法の一種であり、私たちが守らねばならない社会規範の一つです。

しかし、それだけでなく、憲法は、日本の法のなかで**最も強い効力**をもつとされています。つまり、憲法の内容に違反する法律などは、すべてその効力を否定されるという効力を有しているのです（憲法 98 条 1 項）。これを**憲法の最高法《さいこうほう》規《き》性《せい》**といいます。

この憲法の最高法規性は、次の二つの点に現れています。

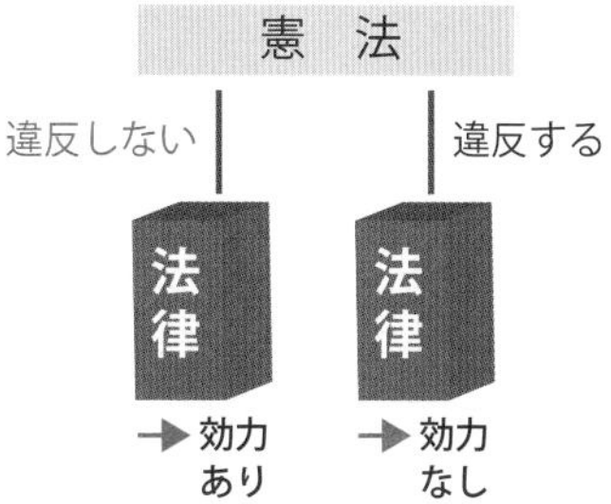

まず、憲法を改正するためには、通常の法律の改正よりもはるかに厳格な手続が定められています（憲法 96 条 1 項）。

憲法改正	① 衆議院・参議院の両方が総議員の３分の２以上の賛成で発議 　およ び ② 国民投票における過半数の賛成
法律制定	① 衆議院・参議院の両方が過半数で可決 　または ② 参議院で否決の場合、衆議院で出席議員の３分の２以上の賛成

このような厳格な改正手続の定められた憲法を**硬性憲法《こうせいけんぽう》**といいます。

もう一つの点は、日本国憲法が日本国民に保障する基本的人権を**侵《おか》すことのできない永久の権利**としていることです（憲法97条）。憲法は、さまざまな人権を保障していますが、これらは、「侵すことのできない永久の権利」ですので、法律によって規制することは原則として認められません（詳しくはレッスン２で説明します）。

2 憲法の特徴

憲法は、他の法律にない特徴を有しています。

a．国民の権利・自由の保障

まず、憲法は、**国民の権利・自由を保障する**ことを内容としている法律です。これは、近世以前、国民の権利や自由がしばしば国家権力によって侵害されてきたという歴史を踏まえ、国民の権利・自由は、国家権力によって侵害されてはならないということを宣言しているのです。

b．国家権力の制限

国民の権利・自由を保障するためには、その保障を宣言するだけでは必ずしも十分とはいえません。その保障を貫徹するためには、国民の権利・自由に対する脅威、特に最大の脅威と考えられる**国家権力を規制する**必要があります。そこで、憲法では、行政権などの国家権力の作用を制限することとし、国家権力によって、憲法の定める国民の権利・自由への侵害がなされないよう配慮しています。

③ 憲法の基本原理にはどのようなものがあるか？

日本国憲法では、各条項の前に４段落からなる「前文《ぜんぶん》」というものが置かれています。

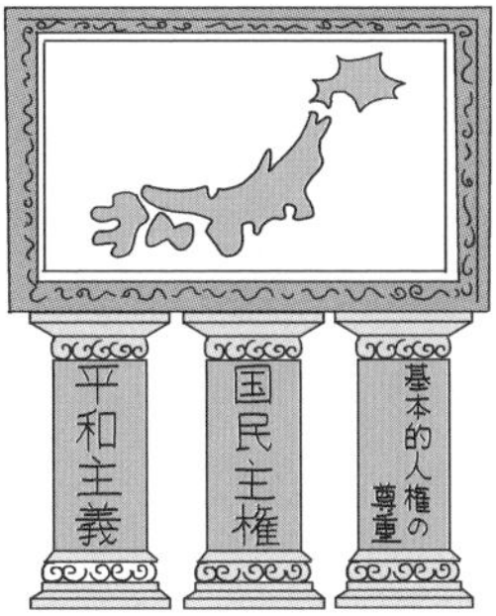

この前文は、日本国憲法の基本原理を示し、各条項の解釈の基準になるものですが、その前文のなかに次の三つの基本原理が表されています。

ａ．国民主権

国民主権とは､国民こそが国家の主人公であるという考え方のことです。具体的には、国民こそが日本国の政治のあり方を最終的に決定することができる（**国政についての最高決定権を有する**）ということを指します。

ｂ．基本的人権の尊重

基本的人権とは、人が人であることにより、生まれながらにして当然に有している基本的な権利のことです。

日本国憲法では、基本的人権について、**侵すことのできない永久の権利**として扱われると定めています（憲法 11 条）。もっとも、これは、基本的人権が、憲法の規定によってはじめて保護されることになるということではなく、もともと人が人である以上有している権利を、憲法が法的な権利であると確認しているのです（人権の固有性）。

基本的人権は、上記の固有性のほかにも、以下のような性質を有します。

人権の固有性	人権は、人が人であることにより当然に有するものであるということ
人権の不可侵性	人権は、原則として公権力により侵されないものであるということ
人権の普遍性	人権は、人種、身分などにかかわらず人であるというだけで当然に享《きょう》有《ゆう》できるものであるということ

c．平和主義

日本国憲法では、その前文および９条により、徹底した**平和主義**がとられています。

平和主義の内容として、日本国憲法では、①戦争と武力による威嚇《いかく》、武力の行使の一切を放棄すること、②戦力の不保持の宣言、③国の交戦権の否定、の三つが定められています。①の戦争の放棄は、他国への侵略戦争に限定しておらず、これは、世界でも類をみないほどの徹底した戦争の否定ということができます。

この章の POINT

- 法は、その内容が国家権力によって強制されることに特徴がある社会規範《しゃかいきはん》である。
- 憲法は、日本の法のなかで最も強い効力をもつ、「**最高法《さいこうほう》規《き》**」である。
- 憲法は、厳格な改正手続の定められた「硬性憲法《こうせいけんぽう》」である。
- 憲法は、国民の権利・自由を保障し、その保障を貫徹するため、国家権力の作用を制限する。
- 憲法の基本原理は、「**国民主権**」、「**基本的人権の尊重**」および「**平和主義**」の三つである。

レッスン 2 憲法の保障する人権とは？

アプローチ

憲法の基本原理の一つに「基本的人権の尊重」があると勉強しましたね。では、次に、憲法がどのような人権を保障しているかを勉強しましょう。日本国憲法で保障されている人権は大きく、自由権、社会権、参政権《さんせいけん》および受益権《じゅえきけん》の４種類に分けられます

1 基本的人権にはどのような種類があるか？

日本国憲法で保障されている人権には、次の４種類があります。

自　由　権	国家が個人の領域に権力をもって介入《かいにゅう》することを排除して個人の自由な活動を保障する権利
社　会　権	社会的・経済的弱者が「人間に値する生活」を営むことができるよう国家の配慮を求めることができる権利
参　政　権	国政に参加することができる権利
受　益　権	国家に対して一定の行為を請求することができる権利

このうち、**自由権**は、次のように分類されます。

- 自由権
  - 精神的自由権
    - 内面的な精神活動の自由（思想・良心の自由など）
    - 外面的な精神活動の自由（表現の自由など）
  - 経済的自由権（財産権など）
  - 人身《じんしん》の自由（奴隷的拘束《どれいてきこうそく》からの自由など）

また、憲法では、憲法の個々の規定で定められた個別の人権のほか、**包《ほう》括的基本権《かつてききほんけん》**の規定が定められています（憲法 13 条）。日本国憲法で定められた個々の権利は、歴史的に侵害を受けることの多かった権利についてそれが人権として保障されることを明らかにしたものですが、こうしたもの以外にも人権として保護すべきものがあると考えられます。包括的基本権は、そういった権利も保護されることを明らかにしたものです。

さらに、憲法 14 条では、**法の下《もと》の平等**についても定められています。これも基本的人権の一つといえます。

2 精神的自由権とは何か？

精神的自由権とは、個人の**精神活動の自由**を保障する権利です。

精神的自由権に属するものとして、思想および良心の自由、信教の自由、表現の自由、学問の自由があります。

1 思想および良心（信条）の自由

憲法 19 条は、**思想および良心の自由**は、これを侵《おか》してはならないと規定しています。これは、人の思想や良心（信条《しんじょう》）は、それが内心《ないしん》にとどまる限り**絶対的に自由**であるということであり、すべての精神的自由権の根源をなすものとして位置づけられます。

2 信教の自由

憲法 20 条は、**信教の自由**は、何人《なんぴと》に対してもこれを保障すると規定し、その権利を保障しています。

この信教の自由は、次の三つの内容を含みます。

信《しん》仰《こう》の自由	信仰をもつこと（もたないこと）を強制されず、また、信仰の有無によって不利益を受けないこと。さらには、信仰の有無について告白または沈黙することができること
宗教的行為の自由	宗教上の儀式、行事その他布教などを自由に行い（参加する）、もしくは行わない（参加しない）こと
宗教的結社《けっしゃ》の自由	自由に特定の宗教に関する団体を結成したり（結成しなかったり）、その団体に入ったり（入らなかったり）、活動したり（活動しなかったり）すること

3 表現の自由

表現の自由とは、思想や意見など、内心の精神的作用を外部に発表する精神的活動の自由のことをいい、憲法 21 条で保障されています。

憲法では、19 条において、内心的な思想・良心の自由が定められていますが、この思想や良心は、外部に表現され、他人に伝達されてこそ社会的な効果を発揮します。したがって、思想・良心の自由だけでなく、この表現の自由をも保障する必要があるのです。

この表現の自由は、自己実現《じこじつげん》・自己統治《じことうち》の観点から重要な役割を果たすため、精神的自由権のなかでも、**優越的地位**を有するとされています。

自己実現	個人が表現活動を通じて自己の人格を発展させること
自己統治	表現活動によって国民が政治的意思決定に関与し、民主主義を実現すること

また、今日では、表現の自由は、自ら思想などを公表して誰かに伝達するという情報の「送り手」としての権利のほか、知りたい情報を知ることができるという情報の「受け手」としての権利も含まれると考えられています。これを「**知る権利**」といい、特に、マスメディアの発達した現代社会では、非常に重要な権利とされています。

さらに、憲法21条2項では、**検閲《けんえつ》**が禁止され、**通信の秘密**が保障されています。いずれも表現者の表現を萎縮《いしゅく》させてしまい、ひいては表現の自由に対する脅威を防止することを目的としています。

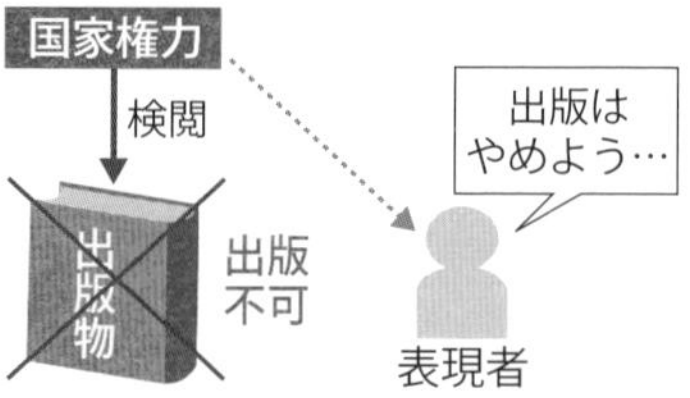

4 学問の自由

学問の自由（憲法23条）には、学問研究の自由、研究結果発表の自由、教授の自由の三つの内容が含まれます。

また、学問の自由には、**大学の自治の保障**が含まれます。大学の自治とは、大学の内部行政は大学の自主的な決定に任せ、大学内の問題への外部の干渉《かんしょう》を排除することをいいます。大学の自治は、学問の自由の保障を徹底するためには、大学という、まさに学問を行う場所に対する国家権力の干渉を排除する必要があることから認められています。

5 経済的自由権

国家が個人の領域に権力をもって介入することが排除されるのは、これまでに説明してきた精神的な側面においてだけではありません。経済的側面、すなわち国民が職業に就いたり、財産を手に入れたりする場面においても、国家が権力をもって介入することは許されません。

経済的自由権には、自由な経済活動の基本となる「居住および移転の自由」と「職業選択の自由」、国民に私有財産制《しゆうざいさんせい》を保障する「財産権の保障」があります。

3 社会権とは何か？

社会権とは、社会的・経済的弱者が「**人間に値する生活**」を営むことができるよう国家の配慮を求めることができる権利です。

自由権が国家権力の介入を排除するものであるのに対し、社会権は国民が**国に一定の行為を要求する**ものである点が両者の大きな違いです。

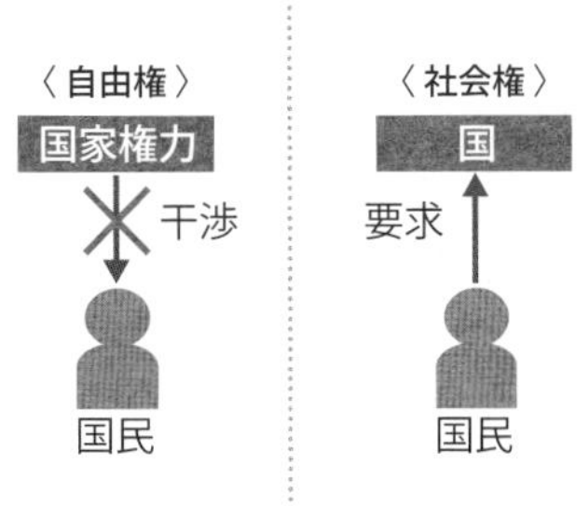

社会権に属するものとしては、以下のものがあります。

1 生存権

憲法25条1項は、「すべて国民は、健康で文化的な最低限度の生活を営む権利を有する」と規定しています。この権利を**生存権**といいます。

2 教育を受ける権利

教育を受ける権利（憲法26条）は、国家に対して教育環境の整備を求めるといった社会権的な側面も有していますが、たとえば、親が子供の通う学校を（一定の範囲内で）自由に選択するといった自由権的な側面も有しています。

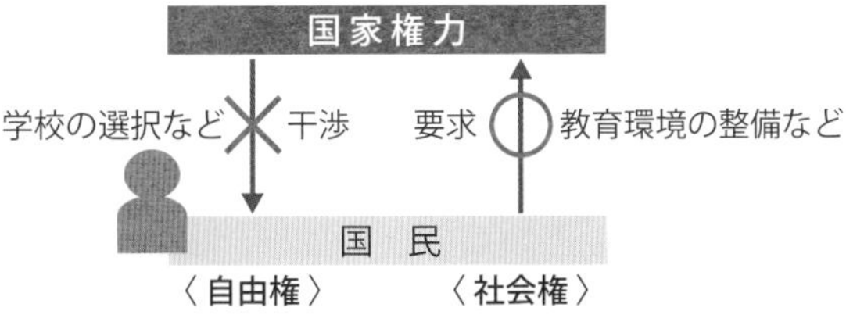

教育を受ける権利は、今日では、子供の**学習権**（子供が教育を受けて学習し、人間的に発達して成長していく権利）を中心としてとらえられています。

3 勤労の権利、労働基本権

労働者と使用者の対等な立場を確保するために認められたのが**労働基本権**（憲法 28 条）です。

労働基本権の特徴として、国民と国家権力の間のみならず、**使用者と労働者の間に直接適用される**ことがあげられます。

労働基本権の内容としては、次のものが認められています。

団　結　権	労働者の団体（労働組合）を組織する権利
団体交渉権	労働者の団体が使用者と労働条件について交渉する権利
団体行動権	労働者の団体が労働条件の交渉のために団体行動（ストライキなど）を行う権利

4 参政権・受益権とは何か？

参政権《さんせいけん》は、主権者である国民が、直接的または間接的に政治に参加する権利です。憲法の基本原理である国民主権および民主主義の実現に不可欠の基本的人権です。「**選挙権**」がその典型です。

受益権《じゅえきけん》は、国や地方公共団体に、何かをしてくれるよう請求する権利です。たとえば、裁判所で裁判を受ける権利や、公務員の不法行為で生じた損害の賠償を国や公共団体に求める「**国家賠償請求権《こっかばいしょうせいきゅうけん》**」などがあります。

5 基本的人権の保護には限界があるのか？

憲法の定める基本的人権は、いずれも人としての最低限度の人権であるといえるので、最大限保障されなければなりません。しかしながら、基本的人権といえども、たとえば、他人の基本的人権と衝突する場合などには、無制限に保護することは不可能です。

そのため、社会生活において、すべての人の基本的人権を保障するには、**一定の制約を課す**ことが必要です。

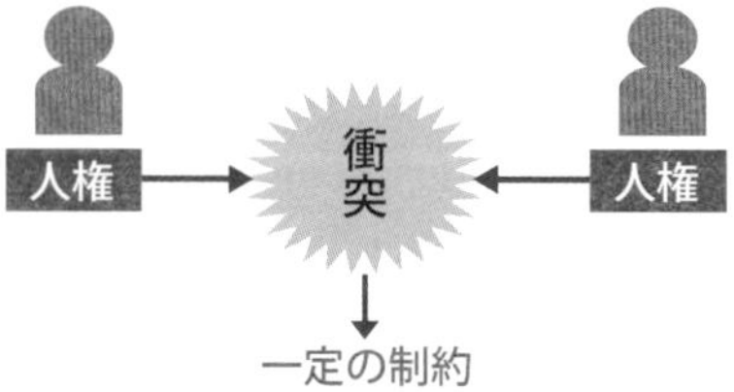

基本的人権は、次のような一定の制約を受けます。

1 公共の福祉による制約

憲法が国民に保障する自由や権利は、「**公共《こうきょう》の福祉《ふくし》**」のために利用しなければならないとされ（憲法12条）、また、「**公共の福祉**」に反しない限り、国政の上で最大の尊重を必要とするとされています（憲法13条）。

この「公共の福祉」とは、ある人と他の人との人権が衝突し、あるいは矛盾する場合に、それを調整するための**実質的公平の原理**です。そして、その意味での「公共の福祉」による人権の制限は、憲法の規定に明記されているか否かによらず、すべての人権に共通して認められるものです。

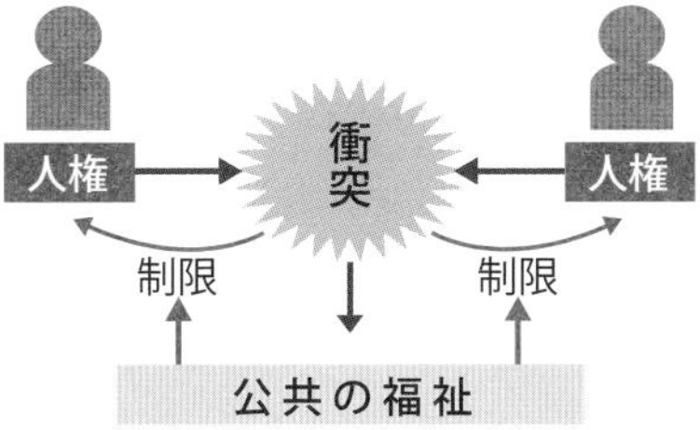

2 その他の制約

国家権力などの公権力と特殊な関係にある者に対する人権の保障は、その関係に応じて一定の制限を受けることがあります。たとえば、刑務所に収容されている受刑者に対しては、自由の制限が認められています。

また、社会権は、国家に対する作為《さくい》請求権《せいきゅうけん》としての性質を有するため、自由権と比べ、**財政的な制約**や**政策的な制約**などにより、制限される余地が広いとされています。

この章の POINT

- 日本国憲法で保障されている人権は、自由権、社会権、参政権《さんせいけん》、受益権《じゅえきけん》の４種類に分けられる。
- 自由権には、精神的自由権、経済的自由権および人身《じんしん》の自由の三つがある。
- 憲法では、憲法の個々の規定で定められた個別の人権のほか、**包括的基本権**《ほうかつてききほんけん》が規定されており、さらに**法の下**《もと》**の平等**についても定められている。
- 精神的自由権に属するものとして、思想および良心（信《しん》条《じょう》）の自由、信教の自由、表現の自由、学問の自由がある。
- 思想や良心は、それが内心にとどまる限り**絶対的に自由**であることを保障される。
- 信教の自由は、信仰の自由、宗教的行為の自由および宗教的結社の自由をその内容に含む。
- **表現の自由**とは、思想や意見など、内心の精神的作用を外部に発表する精神的活動の自由のことをいう。
- 学問の自由には、学問研究の自由、研究結果発表の自由、教授の自由の三つの内容が含まれる。
- 経済的自由権には、居住および移転の自由、職業選択の自由、財産権がある。
- 社会権に属するものとして、生存権、教育を受ける権利、勤労の権利および労働基本権がある。
- 受益権は、国家に対して一定の行為を請求することができる権利である。
- 憲法の定める基本的人権は、**最大限保障される**反面、他人の基本的人権と衝突する場合などには、無制限に保護することは不可能であり、**一定の制約**を課される。

レッスン 3 国を統治する仕組みはどのようになっているか？

アプローチ

1 三権分立とは何か？

① 統治機構に関する憲法の規定

日本国憲法では、国家の行う作用を、立法《りっぽう》、行政《ぎょうせい》、司法《しほう》の三つに分け、それぞれを別々の機関に担当させています。

すなわち、立法作用は**国会**が、行政作用は**内閣**が、司法作用は**裁判所**が、それぞれ担当し、各作用に関する規定を置いています。

② 三権分立の役割

日本国憲法においては、国家の行う三つの作用（立法、行政、司法）につき、三権分立《さんけんぶんりつ》の建前がとられています。

三権分立とは、上記の三つの権力を異なる機関に担当させ、その機関が**相互に抑制し合う**ことによって、権力相互の間のバランスを保つための仕組みのことです。

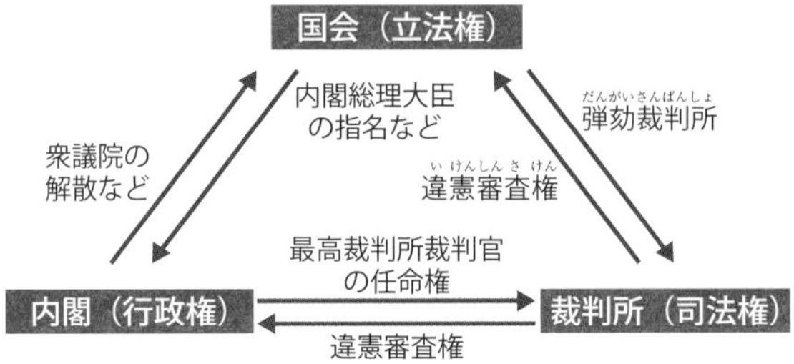

権力を集中させると、強大な権力をもつ機関が発生して国民の自由や権利を圧迫・侵害する可能性があります。三権分立は、国家のもつさまざまな権力を分断させて強大な権力をもつ機関が発生することを防止し、それによって、国民の自由や権利を保護するための仕組みなのです。

2 国会はどのような役割を果たすか？

国会は、**国民の代表機関**であり、**国権《こっけん》の最高機関**であり、国の**唯一の立法機関**であると位置づけられ、衆議院と参議院の両議院によって構成されます。

1 国民の代表機関

憲法43条1項は、「両議院は、全国民を代表する選挙された議員でこれを組織する」と定めています。ここでいう「代表」とは、国民は代表機関を通じて行動し、代表機関は国民の意思を反映するものとみなされるという意味であり、これを**政治的意味の代表**といいます。すな

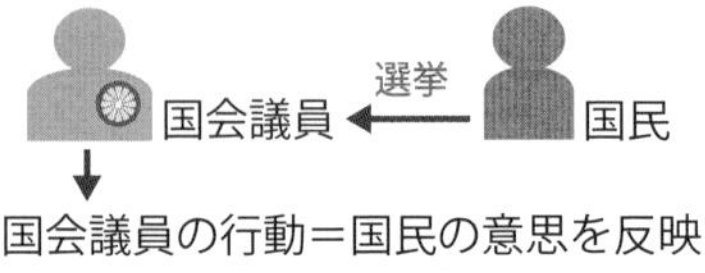

わち、国会議員が国会で行った行動は、その国会議員を選んだ国民の意思を反映しているものとみなされるということであり、個々の行動ごとに国民の意思を確認する必要はないということです。

2 国権の最高機関

国会は、**国権の最高機関**です（憲法 41 条）。

この国権の最高機関の意味ですが、これは、いわば政治的な宣言であり、実際に、他の機関に対して優越的な地位にあるというわけではないと考えられています（政治《せいじ》的《てき》美《び》称《しょう》説《せつ》とよばれる考え方です）。

3 唯一の立法機関

国会は、**国の唯一の立法機関**です（憲法 41 条）。そして、憲法 59 条では、国会における法律の制定手続を具体的に規定しています。

この「唯一」の立法機関であるとは、**国会中心立法の原則**と**国会単独立法の原則**の二つを意味します。

国会中心立法の原則	国の行う立法は、憲法に特別の定めがある場合を除いて国会を通じてなされなければならないという原則
国会単独立法の原則	国会による立法は、国会以外の機関の参与《さんよ》を必要としないで成立するという原則

3 内閣はどのような役割を果たすか？

憲法は、行政権は内閣に属するとし（憲法 65 条）、行政権の主体を内閣としています。

ここでは、憲法上の内閣の特徴について述べることとします（なお、行政権については、行政法の箇所で説明します）。

1 議院内閣制

議院内閣制《ぎいんないかくせい》とは、三権分立の下、議会と政府（内閣）を一応分離したうえで、**政府が議会の信任の上に立つ**というシステムをとることにより、政府に議会に対する責任を負わせる制度です。

日本国憲法では、議院内閣制を採用することが明示されているわけではありません。しかし、内閣総理大臣を国会の議決により指名すること（憲法 67 条 1 項）や、衆議院に内閣の不信任案《ふしんにんあん》の可決を認めていること（憲法69条）などの規定から、議院内閣制を採用していると考えられています。

2 内閣総理大臣の地位

内閣は、**内閣総理大臣とその他の国務大臣の合議体《ごうぎたい》**です。そして、内閣総理大臣は、この合議体の長《ちょう》としての地位にあります。内閣を構成する国務大臣は、内閣総理大臣が任命します（憲法 68 条 1 項）。

内閣総理大臣は国会議員でなければならず（憲法 67 条 1 項）、国務大臣は、その過半数を国会議員のなかから選ばなければなりません（憲法 68 条 1 項）。

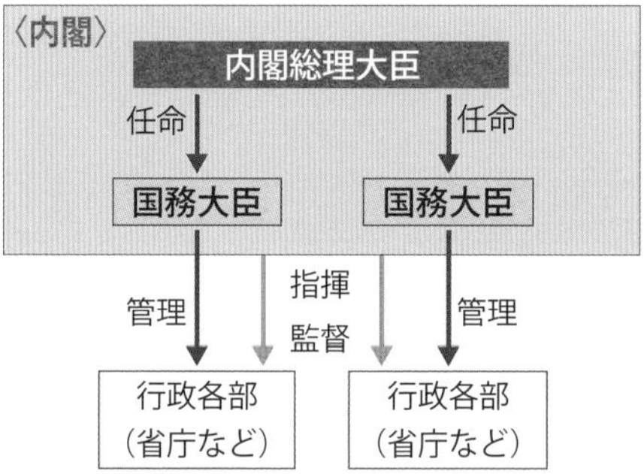

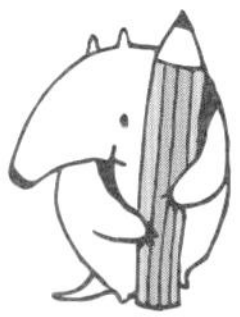

4 裁判所はどのような役割を果たすか？

日本国憲法では、すべての司法権は、**最高裁判所と法律の定めにより設置される下級裁判所**に属します（憲法 76 条 1 項）。つまり、裁判所は、司法権を行使する唯一の国家機関なのです。

1 司法権とは何か

司法権とは、**具体的な争訟《そうしょう》（争いごと）について、法を適用し、宣言することによってこれを裁定する国家の作用**のことをいいます。

2 裁判所の組織

裁判所は、**最高裁判所**と**下級裁判所**に分かれます。下級裁判所には、高等裁判所、地方裁判所、簡易裁判所、家庭裁判所があります。

日本の裁判制度では、**三審制《さんしんせい》**がとられており、同一の事件につき、原則として、異なる裁判所の判断を３回受けることができます。

例）地方裁判所が第一審の場合

地方裁判所 →（控訴《こうそ》）→ 高等裁判所 →（上告《じょうこく》）→ 最高裁判所

また、最高裁判所は、法律などが憲法に適合するか否かを最終的に決定する権限を有しています。この権限を**違憲審査権《いけんしんさけん》**といいます（憲法81条）。

3 司法権の独立

司法権の独立を保障するため、裁判官は、その良心に従い、独立してその職権を行い、憲法および法律にのみ拘束されます（憲法76条３項）。

裁判で最も大切なことは、その裁判が公正に行われることです。そのため、裁判所は、他の機関からの圧力や干渉を受けないようにしなければなりません。これが司法権の独立といわれるものです。

この司法権の独立は、**個々の裁判官の職権行使の独立**と**司法府の独立**を含むものです。また、個々の裁判官の職権行使の独立を確保するため、裁判官の身分は、憲法上強く保障されています。

〈司法権の独立〉

- 司法権の独立
  - 個々の裁判官の職権行使の独立 ← 個々の裁判官の身分保障
  - 司法府の独立

〈裁判官の身分保障〉

- 裁判官の身分保障
  - 罷免事由《ひめんじゆう》の限定 ― 罷免事由
    - ① 心身の故障（病気など）
    - ② 弾劾《だんがい》裁判所の裁判
    - ③ 最高裁判所裁判官の国民審査
  - 行政による懲戒処分《ちょうかいしょぶん》の禁止
  - 相当額の報酬の保障

この章のPOINT

- 憲法は、国家の行う三つの作用（立法《りっぽう》、行政《ぎょうせい》、司法《しほう》）につき、**三権分立**《さんけんぶんりつ》の建前をとっている。
- 国会は、国民の代表機関であり、国権《こっけん》の最高機関であり、国の唯一の立法機関であると位置づけられている。
- 憲法は、行政権は内閣に属するとし、行政権の主体を内閣としている。
- 憲法は、政府に議会に対する責任を負わせる制度である、**議院内閣制**《ぎいんないかくせい》をとっていると考えられている。
- 裁判所は、司法権を行使する唯一の国家機関である。
- 裁判所は、最高裁判所と下級裁判所に分かれ、下級裁判所には、高等裁判所、地方裁判所、簡易裁判所、家庭裁判所がある。

2

民法

Lesson 1　民法とはどのような法律か？

Lesson 2　契約にかかわる民法のルールは？

Lesson 3　民法の定める契約にはどのようなものがあるか？

Lesson 4　契約以外に債権が発生するのはどのような場合か？

Lesson 5　家族に関する法律はどのようになっているか？

レッスン 1 民法とはどのような法律か？

アプローチ

民法 → 法律の女王

民法は、私たちにとって身近である、財産の所有や取引に関する事項や家族に関する事項を対象とする法律です。民法は、一般の私人《しじん》に適用される法律のなかでも基本的なものであることから、「法律の女王」とよばれることもあります

1 民法とは？

民法は、**市民間の社会生活上のトラブルを防止し、または解決するための法律**です。すなわち民法は、市民である皆さんの社会生活にかかわる法律だといえます。

たとえば、友達にお金を貸したのに返してもらえない、借りた自転車を壊してしまった、電器店で買って配達してもらった電器製品がはじめから壊れていた、など身近に起こるさまざまな問題はどれも民法という法律に関係します。

この民法は、財産に関することを扱う**財産法**《ざいさんほう》と家族に関することを扱う**家族法**《かぞくほう》の二つの分野に分けることができます。

民法
- 財産法 …… 財産に関することを定めている
- 家族法 …… 家族に関することを定めている

1 財産法

財産法が扱う財産権（財産についての権利）には、大きく分けると、**物を支配する権利**と**人に対し何かを要求する権利**とがあります。

物を支配する権利を**物権**《ぶっけん》といいます。物権の代表的なものに所有権があります。所有権とは、文字どおり、物を所有する権利であり、所有者はその物を自由に使ったり、人に貸したり、売ったりすることができます。

これに対し、人に対し何かを要求する権利を**債権**《さいけん》といいます。たとえば、貸したお金を返せと要求する権利や、売った物の代金を払えと要求する権利、買った物を引き渡せと要求する権利などが債権の例です。

債権をもっている人を**債権者**といい、債権者に対して義務（債務《さいむ》）を負っている人を**債務者**といいます。債権者は、債務者に対して、債務を実現するように要求（これを請求といいます）することができます。

債権には、契約によって発生するものと契約によらずに発生するものとがあります。

契約とは、**ある法的な効果を発生させることを内容とした約束**をいいます。言い換えると、その約束を破ると裁判所に訴えられ、むりやり契約を履行《りこう》させられる（これを強制執行《きょうせいしっこう》といいます）か、または損害賠償をさせられるかもしれないという強い約束です。

たとえば、お店で物を買う行為は売買契約です。これによって、買主は売主に対し、買った物を引き渡せと要求する債権を取得します。他方、売主は買主に対し、売った物の代金を支払えと要求する債権を取得します。

これに対し、契約によらずに債権が発生する場合があります。たとえば、自動車の運転中に人身事故が生じた場合、被害者は運転者に対し損害を賠償せよと要求する債権を取得します。これは事故という事実（**不法行為**《ふほうこうい》）によって発生した債権です。

❷ 家族法

家族法は、家族間の関係について扱う**親族法《しんぞくほう》**と、人が死亡したときにその人の財産を誰がどれだけ承継するかなど相続の問題を扱う**相続法《そうぞくほう》**とに分けることができます。

- 民法
  - 財産法
    - 物権
    - 債権
      - 契約によるもの
      - 契約によらないもの
  - 家族法
    - 親族法
    - 相続法

2 A男の暮らしと民法のかかわり

Ａ男は、大学を卒業して会社に就職し、親元を離れて一人暮らしをしています。以下ではＡ男の活動に沿って、民法がどのようにかかわりをもっているかみていきましょう。（以下、点線囲み内が具体例です。）

Ａ男は、会社まで電車に乗って通勤しています。今朝も電車に乗りました。お金を払って電車に乗る行為は運送契約《うんそうけいやく》です。

会社に着きました。Ａ男と会社とは、使用者である会社と労働者であるＡ男の雇用契約ないし労働契約によって関係がつくられています。

昼休み、Ａ男は、会社の近くの弁当屋で弁当を買い、会社の食堂で食べました。弁当屋で弁当を買う行為は、売買契約にあたります。

会社の仕事が終わってから、Ａ男は、フィアンセのＢ子とレストランで食事をしました。これは飲食物提供契約《いんしょくぶつていきょうけいやく》にあたります。

フィアンセのＢ子とは３か月後に結婚式を挙げる予定です。二人がいつ法律上の夫婦になるのかは、民法の家族法に規定されています。

Ａ男はＢ子に、結婚したら、しばらく賃貸マンションに住んで、時期をみて家を買おうと言いました。これは不動産の取引の問題です。賃貸マンションを借りるのは賃《ちん》貸借契約《たいしゃくけいやく》ですし、家を買うのは売買契約です。

Ｂ子は、子供が欲しいと言いました。法律上の夫婦の間に子供が生まれると、嫡《ちゃく》出子《しゅつし》となります。これは民法の家族法に規定されています。

B子を家まで送った後、自宅近くに戻ったA男は、近所のDVDのレンタルショップで映画のDVDを借りました。これは賃貸借契約です。

A男が、家に帰って、自室でDVDを観ていたところ、実家から電話がかかってきて、父Cが亡くなったとの知らせを受けました。父Cの死亡により、相続が開始しますが、A男には母と兄のほか、叔父や伯母等の親戚がいます。誰がどれだけ父Cの財産を相続するのでしょうか。これについてのルールは民法の相続法に書かれています。

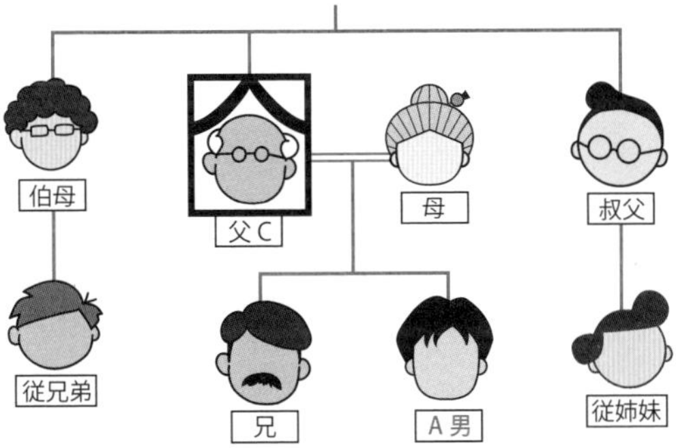

この章のPOINT

- 民法は、**市民間の社会生活上のトラブル**を防止し、または解決するための法律である。
- 民法は、財産法《ざいさんほう》と家族法《かぞくほう》に分けられる。
- 財産法が扱う財産権には、物を支配する権利である**物権《ぶっけん》**と人に対し何かを要求する権利である**債権《さいけん》**とがある。
- 家族法は、親族法《しんぞくほう》と相続法《そうぞくほう》に分けられる。

レッスン 2 契約にかかわる民法のルールは？

アプローチ

1 契約の成立（要件）とは？

契約とは、**ある法的な効果を発生させることを内容とした約束**をいいます。もしも破ったら、裁判所に訴え出られて強制的に守らされる強い約束です。

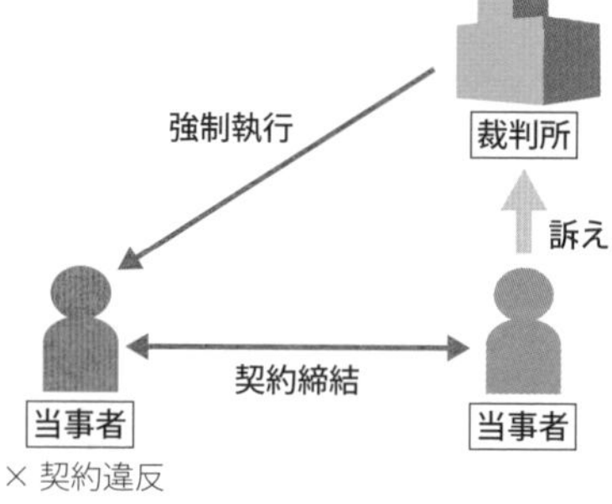

〈取引と契約〉

「取引をする」という言い方がされることがありますが、取引は当事者間で契約が結ばれる前の交渉や駆《か》け引《ひ》きを含む意味で用いられる日常用語です。つまり、一般に取引は契約よりも広い意味の言葉です。

契約が成立すると、契約の当事者間に権利と義務が発生します。

権利とは、**ある利益を得ることができる立場にあること**をいいます。義務とは、**一定の不利益を甘んじて受けなければならない、または一定のことをしなければならない立場にあること**をいいます。

1 契約の当事者（権利能力）

法律上、契約が有効に成立するためには一定の条件が満たされなければなりません（この条件を「要件《ようけん》」といいます）。

その一つとして、契約当事者には、権利・義務の主体となるための資格（これを権利能力《けんりのうりょく》といいます）がなければなりません。

もっとも**権利能力は、人であれば誰にでも認められます**（民法３条１項）。権利能力の有無が問題となるのは、団体が契約の当事者となる場合です。

権利能力をもつ団体を法人といいます。たとえば会社がこれにあたります。

さて、人が契約を結ぶ場合に権利能力があるだけでは十分ではありません。

人が契約を結ぶにあたっては、さらに意思能力《いしのうりょく》が必要です。意思能力とは、**自分が行った行為の結果を判断する能力**をいいます。つまり契約を結ぶことによって一定の責任が生ずることを理解する能力です。

たとえば、前後不覚になるくらいに酔っぱらった状態で契約を結んでも、意思能力のない状態ですから、契約は無効《むこう》です（民法３条の２）。

〈意思能力のない人〉

・泥酔者《でいすいしゃ》

・６歳程度以下（小学校入学前）の子供

・重度《じゅうど》の精神障害者　　　　など

権利能力があり、意思能力がある人が契約を結んだ場合に、その契約が完全に有効に成立するためには、さらにその人の**行為能力**《こういのうりょく》が制限されていないことが必要です。

民法は、未成年者や、精神上の障害により物事の判断をすることが困難になっている者など、一定の者を制限行為能力者《せいげんこういのうりょくしゃ》として、特別に保護する制度を定めています（民法4条以下）。

制限行為能力者が自分で勝手に契約を結んでも、その契約は取り消すことができます。取消《とりけ》しの余地のない完全に有効な契約をするためには、代わりに制限行為能力者の保護者に契約を結んでもらったり、契約を結ぶ前に保護者の同意を得たりする必要があります。たとえば、未成年者の場合には親権者《しんけんしゃ》が保護者です。

完全に有効な契約は、能力に問題のない（権利能力と意思能力があり、かつ、制限行為能力者でない）当事者どうしが結ぶことができます。

2 申込みと承諾

契約は、一方当事者の「～したい」という**申込み**に対して、他方当事者の「OK」という**承諾**がなされたときに、成立します（民法522条1項）。

相手方に「～したい」と申込みをすることや、相手方の申込みに対し「OK」と承諾をすることを意思表示《いしひょうじ》といいます。契約を結びたいという意思を相手方に表示するから、意思表示です。

なお、法律上は「意志」ではなく「**意思**」という語を用います。

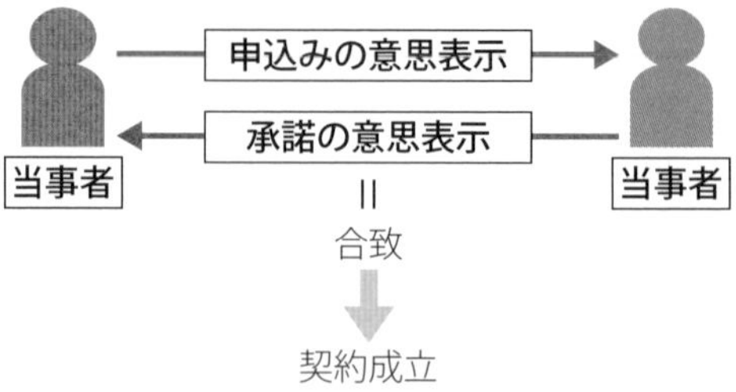

A男は、フィアンセのB子のために婚約指輪を買いに宝石店へ行きました。

A男が宝石店の店員に、お目当ての指輪を指さして、「この指輪をください」と言い、これに対して、店員が、「承知しました」と言いました。

この場面では、店員が「承知しました」と言った時に、指輪の売買契約が成立します。

このようなとき、売買契約書が作成されることがありますが、契約はすでにＡ男と店員の意思表示が合致した時に成立しています。契約書を作成した時に契約が成立するのではありません（民法522条２項）。

〈意思表示の無効と相手方の善意・悪意〉

本心からではなく、冗談《じょうだん》で言ったようなウソの意思表示も原則として有効です。ただし、相手方が悪意《あくい》であった（ウソであることを知っていた）り、善意《ぜんい》でも過失があった（ウソであることをうっかり知らなかった）りした場合には、その意思表示は無効となります。つまり、その意思表示ははじめからなかったことになります。

ここで、悪意とは単に「ある事実を知っている」という意味で、善意とは単に「ある事実を知らない」という意味で、それぞれ用いられています。つまり、法律上、善意・悪意は、ある事実の知《ち》・不知《ふち》を表す言葉です。日常用語として用いられる場合のように、道徳的な善悪とは関係がないので、注意しましょう。

3 代理人による契約（代理制度）

Ａ男は、新居となるマンションを借りようと考え、Ｂ子と一緒に不動産屋へ行きました。いくつかマンションの部屋を見せてもらったところ、Ａ男は、Ｍ社が賃貸《ちんたい》しているＮマンションの501号室からの眺望がとても気に入りました。Ｎマンションは、入居にあたって内装を入居者が選択できるようになっていました。

Ａ男は、その眺望《ちょうぼう》が気に入ったので、内装はやがて妻となるＢ子にまかせようと思い、Ｂ子に賃貸借契約《ちんたいしゃくけいやく》についての委任状《いにんじょう》を渡して「君の好きな内装にするといいよ。それでよければ、僕の代わりに契約しておいて」と言いました。Ｂ子は「わかったわ。まかせてね」と、どんな内装にするか、二人の将来の生活に思いをはせていました。

この場面では、Ｍ社との間でマンションの賃貸借契約を結ぶことについて、Ａ男とＢ子の間に代理関係が成立しています。

代理とは、**代理人が本人のために相手方と契約を結んだ場合に、その効果が相手方と本人の間に発生するという制度**です（民法99条以下）。

代理制度は、本人が忙しかったり、制限行為能力者であったりするなど、自分で契約を結ぶことができない場合に役に立ちます。

代理人は、本人に代わって本人のために、代理人自身の判断で契約を結びます。もちろん、本人からまかされているからこそ、このようなことができるのです。本人からまかされていないのに、勝手に代理人だといって契約を結んでも、代理は成立しません（この場合を無《む》権《けん》代《だい》理《り》といいます）。

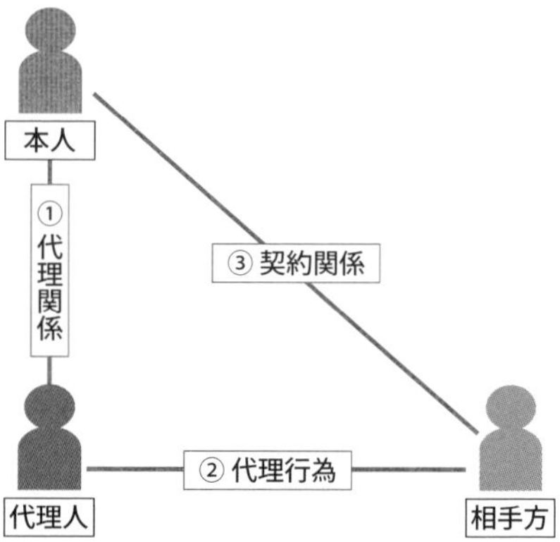

B子はA男との暮らしに思いをはせながら、内装を選び、A男の代理人として、M社との間でNマンション501号室の賃貸借契約を締結しました。これによって、A男とM社との間で契約が成立したことになります。

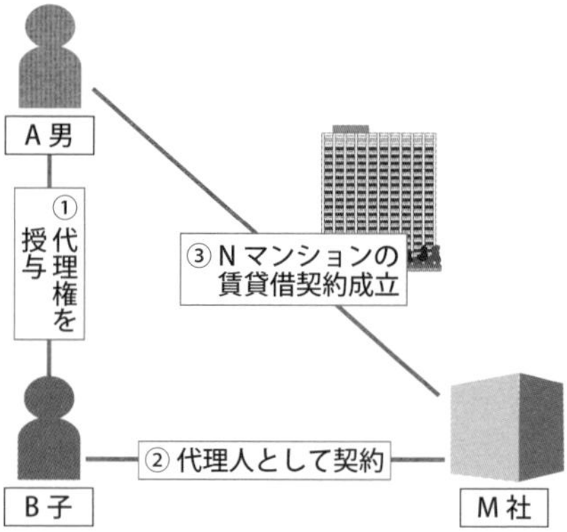

2 契約の効果とは？

契約が成立すると、**契約当事者間に債権《さいけん》と債務《さいむ》が発生**します。

債権とは、人に対し何かを要求する権利です。**債務**とは、人に対して何かをする義務をいいます。その「何か」、すなわち債権債務の内容は契約によって定められます。

A男は、M社との間でNマンション501号室の賃貸借契約を締結しました。これによって、A男はM社に対してNマンション501号室の使用収益権という債権を取得すると同時に、賃料の支払《しはらい》義務《ぎむ》という債務を負うことになります。他方、M社はA男に対して、Nマンション501号室を使用および収益させる義務という債務を負うと同時に、賃料の支払請求権という債権を取得します（民法601条）。

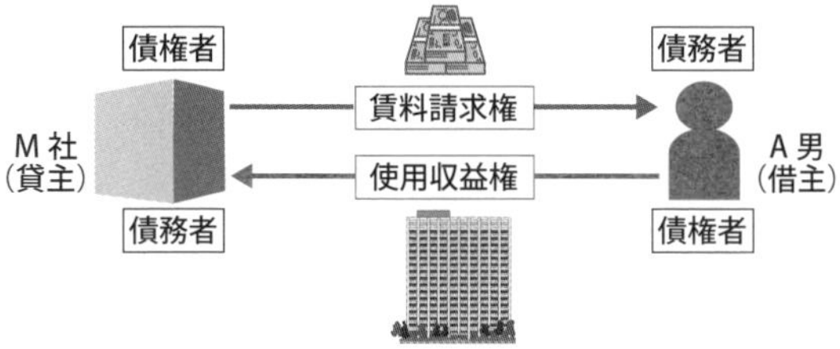

3 契約の履行と不履行とは？

1 弁済

契約が成立しても、その契約内容が実現されなければ意味がありません。契約の内容とは、契約によって発生した債権・債務の内容のことですから、契約の内容の実現とは、債権・債務の内容の実現です。

債権は、債務者に対して、その内容を実現するように求める権利です。債務者は債権者に対して、その内容を実現しなければなりません。これを**弁済**《べんさい》といいます（**履行**《りこう》ともいいます）。

債務がその本来の目的に従って弁済ないし履行されると、債権はその目的を達成して消滅します（民法473条）。

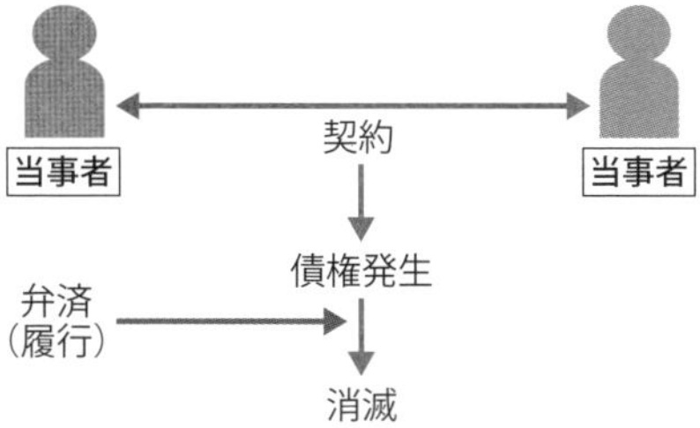

Ａ男とＢ子はＰ家具店へ行きました。新居となるＮマンションに置くソファを買うためです。Ｂ子が選んだ内装に合わせたすてきなソファが見つかり、二人はこれを買うことにしました。

Ａ男は、Ｐ家具店との間でソファの売買契約を結びました。Ｐ家具店がそのソファを指定の日にＡ男の新居に納品し、Ａ男が代金を支払うと、双方の債権（Ａ男がもつソファの引渡請求権とＰ家具店がもつ売買代金請求権）は弁済により消滅します。

2 債務不履行

契約が成立しても、債務者が約束した日（**履行期日**《りこうきじつ》といいます）に履行をしないか、または債務の本来の目的に従わず違った方法で履行をした場合、債権は目的を達成することができないため、消滅しません。

債務者が、債務の履行期日に債務の本来の目的（これを**債務の本旨**《ほんし》といいます）に従って債務を履行しないことを**債務不履行**《さいむふりこう》といいます。

債務不履行が生じた場合、すなわち債務者が債務を本来の目的に従って履行しなかった場合、債務者は債務不履行についての責任を負います。

一言で債務不履行といっても、いろいろな場合があります。順にみていきましょう。

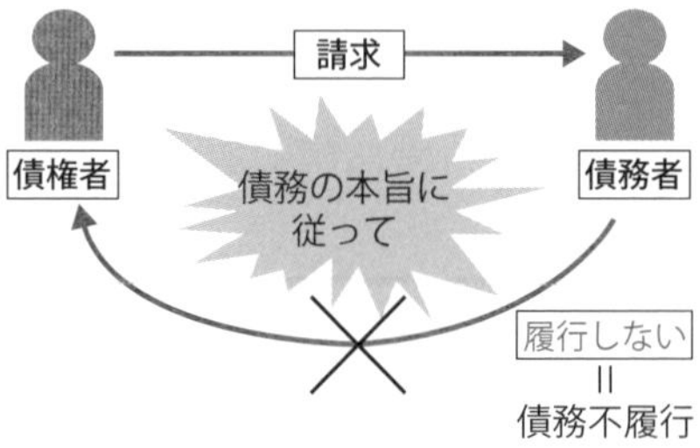

a．履行遅滞

Ｐ家具店との売買契約で定めた約束の日、Ａ男とＢ子は、ソファが届くのを待っていました。しかし、待てど暮らせどソファが届きません。

債務者が履行期日に債務を履行しなかった場合を**履行遅滞**《りこうちたい》といいます

（民法 412 条）。

履行期日に債務を履行しなかった債務者に対し、債権者は、改めて履行をするよう求めることができます。

改めて履行をするように求めても、債務者がいっこうに債務を履行しようとしないときは、**債権者は、原則として、契約を解除《かいじょ》することができます**（民法 541 条）。解除とは、当事者の一方が契約関係を解消することです。

また、履行期日に債務が履行されなかったことによって損害が生じたときは、原則として、**債権者は損害賠償を求めることもできます**（民法 415 条）。契約を解除した場合でも、損害賠償を求めることができます（民法 545 条 4 項）。

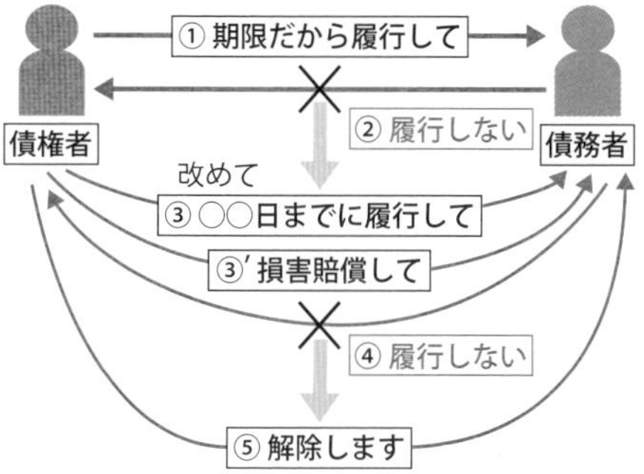

A男とB子は、P家具店に電話をしました。

担当者が電話口に出て、説明したところによると、配送センターへの連絡ミスで、配達日が１日ずれていたそうです。

A男は、履行遅滞だな、と思いつつ、担当者を責めるのも酷なので、「では、明日届けてください。よろしくお願いします」と言って、電話を切りました。

b．履行不能

たとえば、債権の目的が住宅の引渡しだった場合に、肝心の住宅が履行期日の前に、債務者の火の不始末で火事で燃えてしまったときは、もはや履行をすることができません。この場合は、履行期日を待つまでもなく、債務不履行となります。これを**履行不能《りこうふのう》**といいます（民法412条の2第1項）。

履行不能となった場合、**債権者は債務者に対し、ただちに契約を解除することができます**し（民法542条）、原則として、損害賠償を求めることもできます（民法415条）。

もし仮に、A男とB子が買ったソファがアンティークで世の中に一つしかない品物だった場合、それが盗難により滅失したような状態では、もはや履行不能です。この場合、A男は、契約を解除することができます。

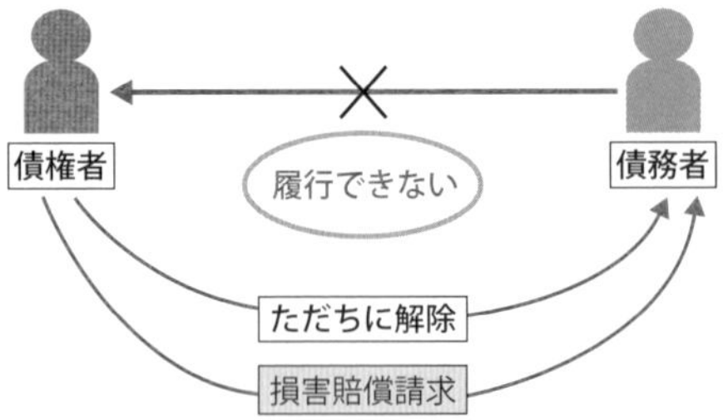

c．不完全履行

> A男とB子が新居とするNマンションにソファが届きました。しかし、梱包《こんぽう》を解いてみたところ、ソファには大きなキズがついていて、とても人が座ることなどできない状態でした。どうやら梱包の際に、従業員が誤ってキズをつけてしまったようです。

債務者が履行期日に債務を履行したけれども、そのやり方が適切でなかったり、品物の数が足りなかったりする場合があります。このような場合を**不完全履行《ふかんぜんりこう》**といいます。

不完全履行がなされた場合、**債権者は、もう一度適切なやり方でまたは適正な数を揃《そろ》えて履行をするよう求めることができます**。

しかし、はじめの失敗がたたって、再度のやり直しができない場合は、債権者はただちに契約を解除することができます（民法542条）。

履行期日に完全な履行がなされなかったことで債権者に損害が生じたときは、原則として、債権者は、債務者に損害賠償を求めることができます（民法415条）。契約を解除した場合でも、損害賠償を求めることができます（民法545条4項）。

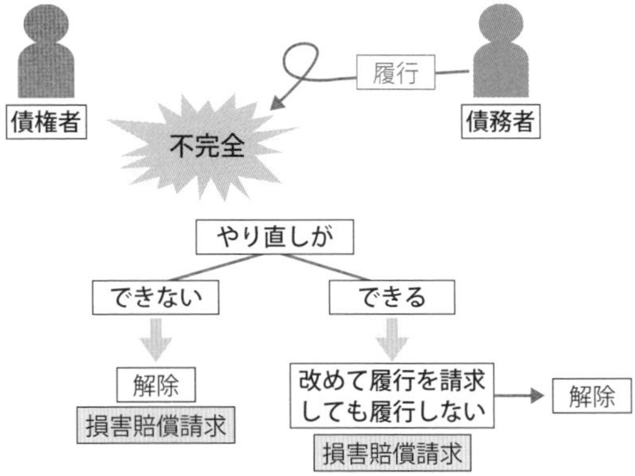

二人が購入したソファは、大量生産をしている製品であったので、A男は、配達員に改めて新しいソファを届けるように言いました。配達員は早速手配をし、P家具店は、後日新しいソファを届けることになりました。

3 契約不適合責任

それでは、中古住宅を買って居住を始めたら、雨漏りすることが後でわかった場合、法律的にはどのように解決されるでしょうか。

父Cの財産を相続したA男は、たまたま遊びに行った軽井沢で、中古の別荘が売りに出ているのを見かけ、これをとても気に入り、すぐに買いました。売主は偶然にも、A男が新居のためのマンションを借りたM社です。A男は、その年の夏、休暇をとって、購入した別荘に1週間ほど滞在しました。

滞在中に雨が降り……。それまで一度も雨が降ったことがなかったので気づかなかったのですが、何とその家は雨漏りがするではありませんか。

雨漏りの原因は、長い年月の間に生じたほんのわずかな屋根のずれでした。専門家でもなかなか気づかない程度であったため、M社も気づかなかったようです。つまり、M社には落ち度はなかったのです。

A男はどうしたらよいのでしょうか。

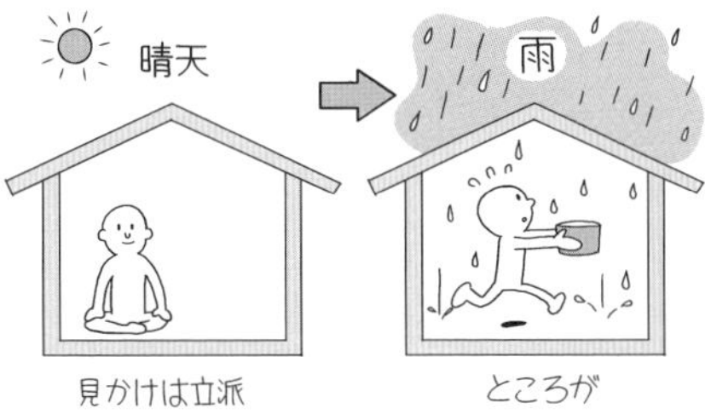

売買契約の売主は**契約《けいやく》不《ふ》適合《てきごう》責任《せきにん》**という責任を負います（民法 562 条以下）。契約不適合責任は、中古の別荘のようにその物の個性に着目して取引される物（**特定物《とくていぶつ》**）と、新品の電化製品のようにその物の種類や品質に着目して取引され個性は問題とならない物（**不特定物《ふとくていぶつ》、種類物**）の両方をその対象とします。

売買契約に基づき引き渡された目的物が種類、品質または数量に関して契約の内容に適合しないものであるときは、**買主は、売主に対し、目的物の修《しゅう》補《ほ》、代替物の引渡しまたは不足分の引渡しによる履行の追完《ついかん》（契約内容に適合させること）を請求することができます**（民法 562 条）。買主が相当の期間を定めて履行の追完の催告《さいこく》をし、その期間内に追完がないときは、買主は、その不適合の程度に応じて代金の減額を請求することができます。なお、追完が不可能な場合など、催告が無意味な場合には、買主は、催告をすることなく、ただちに代金減額請求をすることができます（民法 563 条）。

また、買主は、売主に対し、前述の債務不履行責任に関する規定により、損害賠償の請求や解除権を行使することもできます（民法 564 条）。

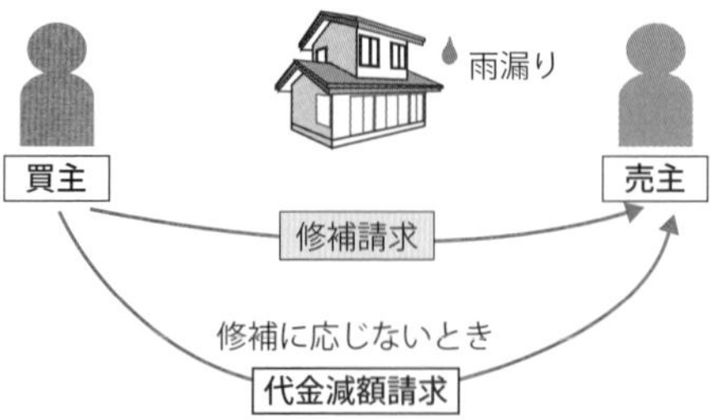

A男とM社との間の別荘の売買契約は雨漏りがあることをその内容としていないため、この別荘は契約内容に適合しません。したがって、A男は、売主であるM社に対して、屋根の修補を請求することができ、M社がこれに応じなければ、代金の減額を請求することができます。また、A男は、M社が追完に応じない場合には、売買契約を解除することができます。さらに雨漏りについてM社の帰責事由によらないものである場合を除き、損害賠償を請求することができます。

4 債権の確保とは？

1 時効

A男は、友人Qから起業をするため資金を貸してほしいと頼まれ、返済期限を1年後として100万円を貸しました。
その期限が過ぎたのにQはお金を返してくれません。このまま放っておいたら、どうなるのでしょう。

債権は、いつまでも行使しないで放っておくと、時効《じこう》により消滅してしまいます。時効とは、**長い年月続いた事実状態はそのままにしておこうという制度**です（民法144条以下）。

長い間行使しなかった権利は消滅し、また、他人の物を占有《せんゆう》し続けた場合にはその物の上に所有権という権利が認められます。行使しなかった権利が消滅する制度を**消滅時効**といいます。占有を続けることによって所有権が認められる制度を**取得時効**といいます。

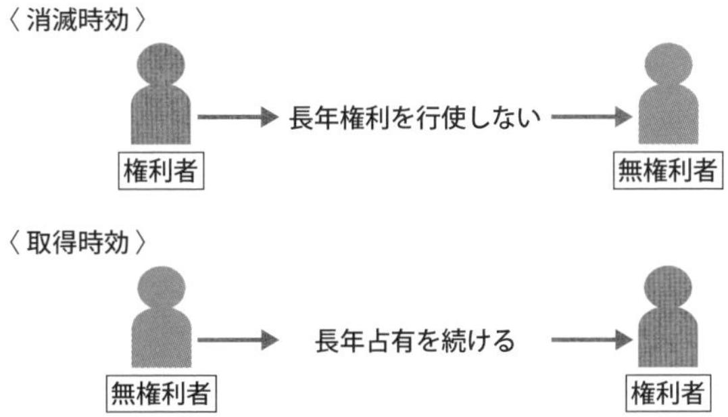

債権は、まったく行使せずにいると、時効により消滅します。したがって、A男は、時効により消滅する前に、Qに対して、自らの有する債権（貸金返還請求権《かしきんへんかんせいきゅうけん》）を行使する必要があります。

2 保証（通常の保証と連帯保証）

a．債権者平等の原則

Ａ男の父Ｃは、生前、個人事業を営む知人のＲに頼まれて何度か金を貸し、総額 1,000 万円の金銭債権《きんせんさいけん》を有していましたが、Ｒは経営状態が悪化してしまいました。その後の調べで、Ｒには、ほかにも債権者が大勢いて、負債総額《ふさいそうがく》は２億円あることがわかりました。ところが、Ｒの推計資産額《すいけいしさんがく》は 2,000 万円だということでした。

父Ｃの 1,000 万円の債権はＲから回収できるのでしょうか。

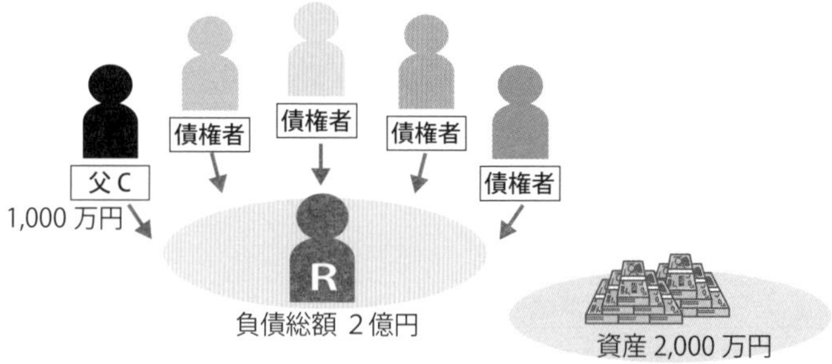

取引開始後に債務者の財産が減少して、債務者が債務を弁済《べんさい》することができなくなることがあります。この場合、担保《たんぽ》を有しない一般債権者は、債権発生の時期（契約時期）やその債権の額に関係なく平等に扱われることになっています。これを**債権者平等《さいけんしゃびょうどう》の原則**といいます。

そして、債務者の一般財産（責任財産《せきにんざいさん》といいます）を競売（「きょうばい」または「けいばい」）にかけて、その売却代金のなかから、その債権額に応じて按分《あんぶん》して配当を受けることになります。

Ｒの負債総額 2 億円に対して、資産額が 2,000 万円だったとすれば、債権者は、それぞれの債権の 10 分の 1 だけ弁済を受けられることになります。ですから、父Ｃは 100 万円だけ弁済を受けることができます。

結局、父Ｃは 900 万円を失うことになります。このような事態に備えて、何かよい方法はなかったのでしょうか。

b．人的担保と物的担保

債権者が債権の内容を確実に実現する（弁済を受ける）ための方法として、**担保**があります。担保とは、債務者が履行をしない場合に、これに代わって債務の弁済を受けるための予防策、いわば保険です。

担保には大きく分けて、保証《ほしょう》などの**人的担保《じんてきたんぽ》**と担保物権《たんぽぶっけん》の設定などによる**物的担保《ぶってきたんぽ》**があります。

保証とは、**債務者が弁済をしない場合に、債務者（主《しゅ》たる債務者といいます）に代わって他人（保証人といいます）が債権者に対し弁済をすることを約束する制度**です（民法446条）。

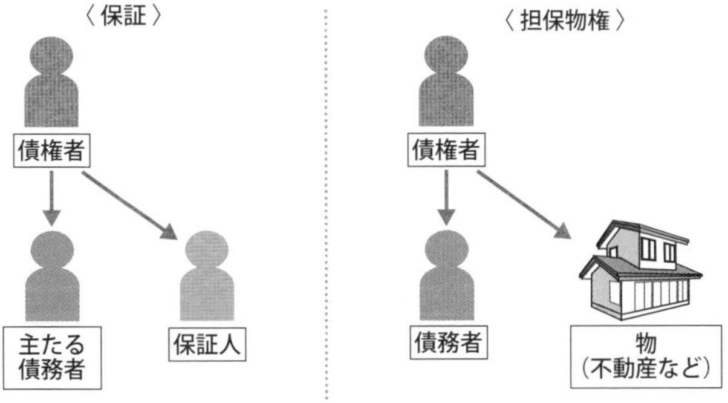

父CがRにお金を貸すときに、たとえばRの知人Sが保証人になっていたとすれば……。

Rが返済できなくなったときに、父CはSに対して1,000万円を返すように請求することができたのです。

c．通常の保証と連帯保証の違い

保証は、通常の保証と連帯保証《れんたいほしょう》に分けられます。

通常の保証と連帯保証の違いは、保証人の責任の重さにあります。

通常の保証では、保証人には、主たる債務者が履行をしない（できない）ことがはっきりした時点で、債権者に対し弁済する責任が生じます。

債権者が、主たる債務者に請求せず、保証人に請求してきたとき、保証人は、まず主たる債務者に請求をするよう債権者に主張することができます。この主張を**催告《さいこく》の抗弁権《こうべんけん》**といいます（民法452条）。

また、債権者が主たる債務者に請求をしたが、弁済をしてもらえなかったからといって保証人に請求してきたとしても、保証人は、まず主たる債務者の財産に強制執行《きょうせいしっこう》をかけるよう債権者に主張することができます。この主張を**検索《けんさく》の抗弁権**といいます（民法 453 条）。

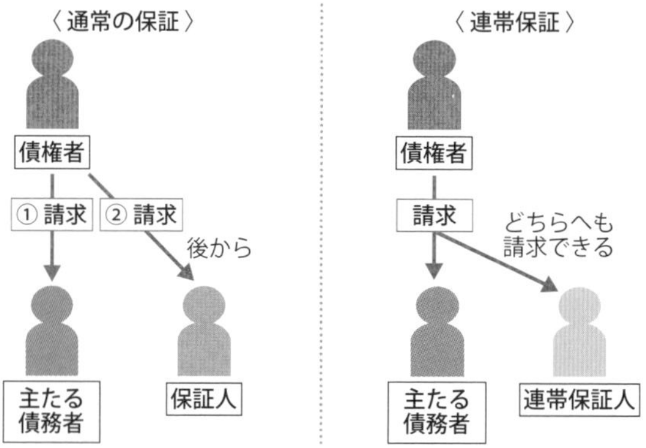

父ＣがＲにお金を貸すときに、Ｒの知人Ｓが通常の保証人になっていたとすれば……。

Ｒが弁済できなくなったときには、父ＣはＳに対して 1,000 万円を支払うように請求することができますが、Ｒが破産をしていない場合であれば、Ｓから、まずＲに対して請求するようにと言われてしまいます。Ｒに請求をしたけれどもＲが支払ってくれないというときでも、Ｓから、まずＲの財産に対して強制執行せよ、と言われてしまいます。

父Ｃは、なかなかＳから支払ってもらえません。

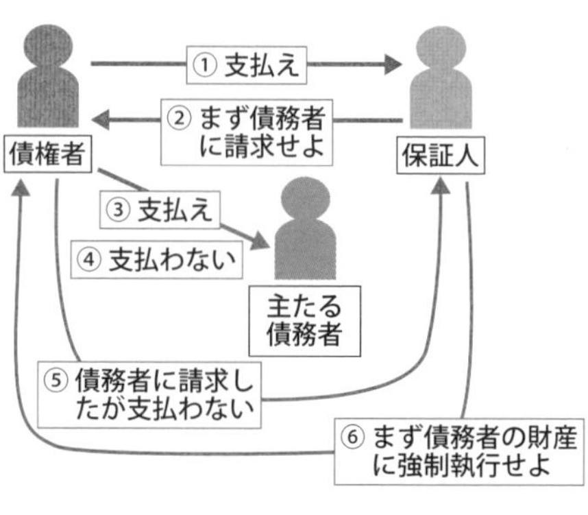

これに対し、連帯保証では、**債権者は主たる債務者に請求せず、はじめから連帯保証人に対して請求をすることができます**。連帯保証人は、債権者から請求されたら、これを拒むことができません。連帯保証人には催告の抗弁権も検索の抗弁権も認められていないのです（民法 454 条）。

父CがRにお金を貸すときに、Rの知人Sが連帯保証人になっていたとすれば……。

Rが破産していようといまいと、父CはSに対して1,000万円を支払うよう請求することができます。Sはこれに対して、支払いを拒否することはできません。

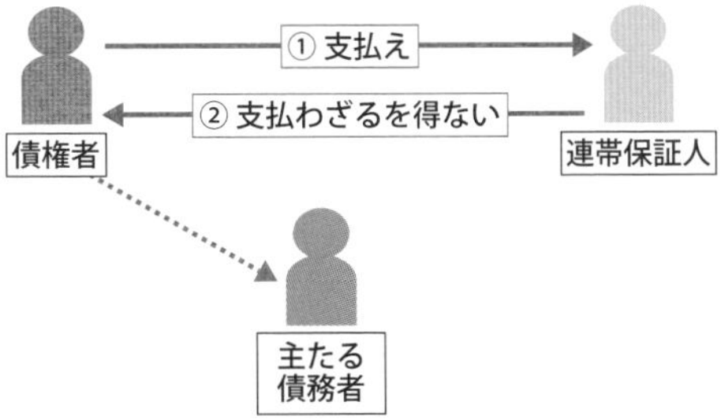

このように、債権者からすれば、通常の保証よりも連帯保証のほうがたやすく連帯保証人に請求することができるので、安心です。逆に保証をする側からすれば、連帯保証人になることは大変なリスクを負うことになります。

③ 担保物権（抵当権）

保証人がいれば、債権はより確実に回収することができるはずですが、保証人の資産状態が悪化してしまうおそれがないとはいえません。適当な保証人が見つからない場合もあります。となると、債権者は保証だけでは安心できません。

そこで、保証と並んで、もしくは保証以上に、債権回収を確実にするための制度が**担保物権《たんぽぶっけん》**です。

担保物権とは、**債務者が弁済できない場合に、あらかじめ担保として決められていた物を売却《ばいきゃく》して、その代金から債務の弁済を受ける制度**です。

言い方は悪いですが、債務者からある特定の財産（物）を借金のカタとして取り上げてしまう制度です。

担保物権の代表的なものに**抵当権《ていとうけん》**があります。

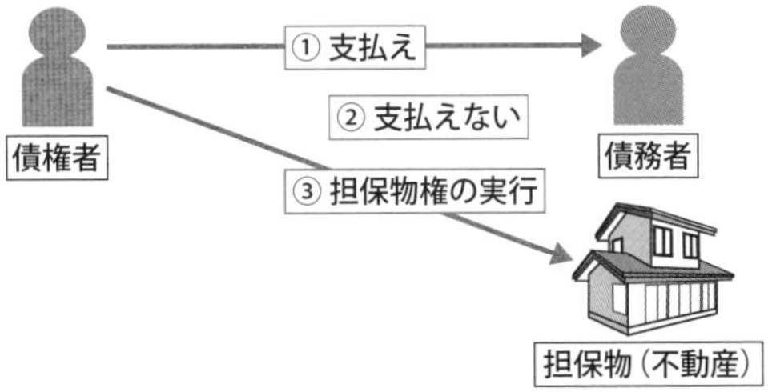

抵当権とは、**債権が履行されなかった場合に、抵当権の目的となっている不動産を売却して、その代金から弁済を受ける権利**です（民法369条）。不動産以外の物（動産）は、原則としてその目的とはなりません。

抵当権を有する債権者は、担保の目的である不動産の売却代金から他の債権者に優先して弁済を受けることができます。これを優先弁済権《ゆうせんべんさいけん》といいます。

抵当権の目的となった不動産自体は、抵当権の実行がされるまで債務者の下にとどめられますので、債務者は抵当権を設定しても、これまでと同じようにその不動産を利用することができます。

〈不動産とは〉

抵当権の目的となる「不動産」とは何でしょうか。

民法上、不動産とは、土地や建物をいいます。なお、土地とその土地上の建物はそれぞれ別々の物として扱われます。

不動産以外の物は、すべて動産といいます。

父CがRにお金を貸すときに、Rの知人Sが連帯保証人になっていたにもかかわらず、RだけでなくSも資産状態が悪化したため、結局、父Cは債権を回収することができませんでした。

もしも、父CがRにお金を貸すときに、Rが所有し居住している住宅に抵当権の設定を受けていたとすれば……。

Rが破産した場合、多くの債権者はその債権を全額回収することはできませんが、父Cだけは、住宅の売却代金から優先的に債権の弁済を受けることができます。

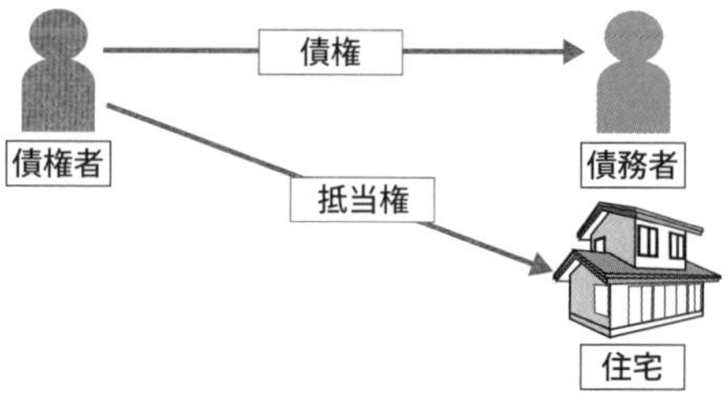

この章のPOINT

- 契約が成立すると、契約の当事者間に権利（**債権《さいけん》**）と義務（**債務《さいむ》**）が発生する。
- 契約が完全に有効に成立するためには、当事者に**権利能力《けんりのうりょく》**と**意思能力《いしのうりょく》**があり、**行為能力《こういのうりょく》**に制限を受けていないことが必要である。
- 契約は**申込みの意思表示《いしひょうじ》**と**承諾の意思表示**が合致した時に成立する。
- 代理は、本人に代わって他人（代理人）が相手方と契約を結び、その効果が本人と相手方の間に発生する制度である。
- 契約の成立により発生する債権債務の内容は、契約によって定められる。
- 当事者が契約の拘束力《こうそくりょく》から逃れることができるのは、解除・取消《とりけ》しなど、特別の場合に限られている。
- **債務の本旨《ほんし》**に従った弁済《べんさい》ないし履行《りこう》によって、債権はその目的を達成し、消滅する。
- 債務不履行《さいむふりこう》には、**履行遅滞《りこうちたい》**・**履行不能《りこうふのう》**・**不完全履行《ふかんぜんりこう》**があり、いずれの場合も、債務者は損害賠償責任を負う。
- 債務不履行は、契約の解除の原因となる。
- 売買契約の売主は、買主に対して、目的物が契約の内容に適合しないことにつき、**契約不適合責任《けいやくふてきごうせきにん》**を負う。
- 時効《じこう》には、消滅時効と取得時効がある。
- 保証には、通常の保証と連帯保証《れんたいほしょう》がある。
- **連帯保証**は、通常の保証よりも、債権者には有利であるが、連帯保証人にはリスクがある。
- 担保物権《たんぽぶっけん》の代表として、不動産について優先弁済権《ゆうせんべんさいけん》を確保する制度である**抵当権《ていとうけん》**がある。

レッスン 3

民法の定める契約には どのようなものがあるか？

アプローチ

1 契約自由の原則と典型契約とは？

先に説明したとおり、私たちは日常生活においてさまざまな契約を結んでいます。逆にいえば、人は誰もが、どのような契約でも結ぶことができるのです。このように、人は自由にさまざまな契約を結ぶことができるという原則を**契約《けいやく》自由《じゆう》の原則**といいます（民法 521 条）。より具体的にいえば、契約自由の原則とは、契約をするかしないか、誰と契約するか、どのような契約の内容とするかなどを、当事者の間で自由に決めることができるという原則です。

このように、契約の内容は当事者が自由に決められますが、民法は、多くの人たちが結ぶであろう典型的な契約について定めを置き、そのモデルを示しています。これを**典型《てんけい》契約《けいやく》**といいます。

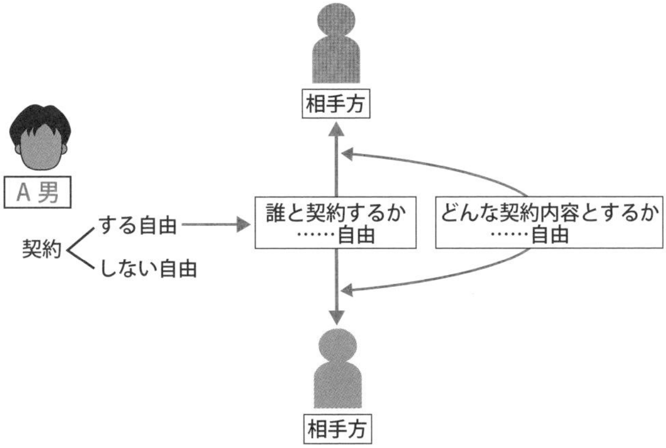

2 主要な典型契約の概要

民法の定める典型契約のいくつかをみておきましょう。

1 消費貸借

消費貸借《しょうひたいしゃく》は、当事者の一方が金銭その他の物を借り受けて消費し、これと種類、品質および数量の同じ物を他方当事者に返還する契約です（民法587条以下)。消費貸借契約の成立には、原則として、貸主と借主の間の合意に加え、目的物の引渡しが必要ですが、契約書などの書面によって契約を締結する場合には目的物の引渡しは不要です。

金銭の貸し借りが代表的ですが、金銭以外でも、お米やビールや灯油など、いわゆる消耗品《しょうもうひん》がその対象となります。

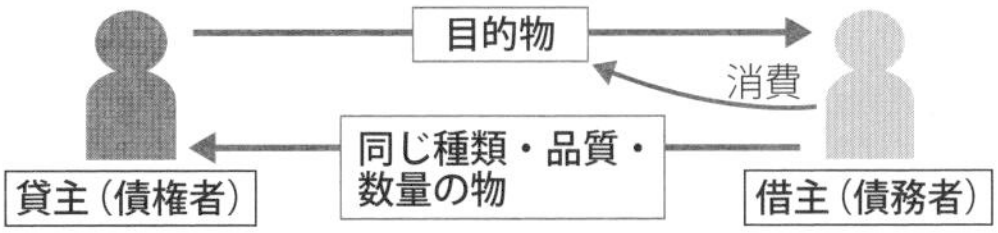

2 賃貸借

賃貸借《ちんたいしゃく》とは、当事者の一方がある物の使用および収益《しゅうえき》を相手方にさせることを約束し、相手方がこれに対してその賃料《ちんりょう》を支払うことを約束することによって成立する契約です（民法601条以下)。

賃貸マンションのほか、レンタカー、レンタルDVDなど、いわゆるレンタルがこれにあたります。

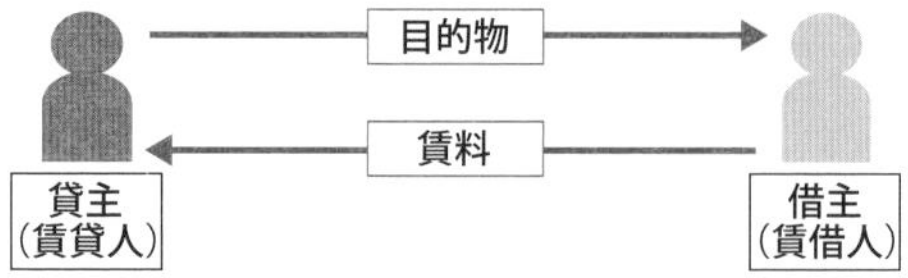

賃貸借契約においては、賃貸人（「ちんがしにん」または「ちんたいにん」）も賃借人（「ちんがりにん」または「ちんしゃくにん」）も、それぞれが互いに義務を負っています。

a．賃貸人の義務

賃貸人は、賃借人に対し、賃貸借の目的物を使用・収益《しゅうえき》させる義務を負います（民法601条）。いわば貸す義務です。ですから、賃貸目的物《ちんたいもくてきぶつ》が故障などしたときは、原則として賃貸人は目的物について修繕義務《しゅうぜんぎむ》を負います（民法606条1項）。

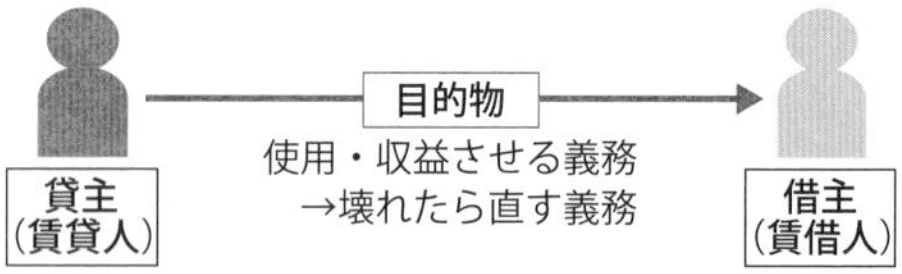

そして、賃借人は、賃貸人が必要な修繕をしない等一定の場合、その修繕をすることができ（民法607条の2）、ただちにその費用の償還《しょうかん》を賃貸人に請求することができます。

賃借人が目的物に改良を加えた場合、改良による価値が残っている限り、賃借人は賃貸借終了の時に賃貸人に対し、支出した金額または価値の上がった分の価格の額のいずれか（賃貸人が選択できます）の償還を請求することができます（民法608条）。

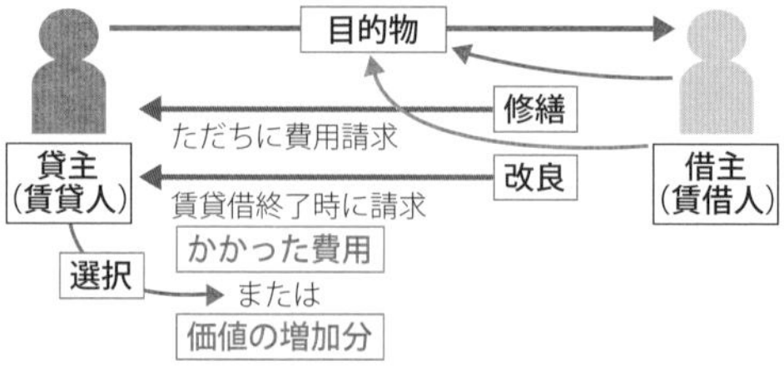

〈償還と返還〉

借りたお金や物を返すときは返還といいます。これに対し、賃借人が出した修繕費や改良費を賃貸人が払うときは、償還といいます。お金を借りたわけではないからです。

b．賃借人の義務

賃借人は、賃貸人に対して目的物の使用・収益の対価としての賃料《ちんりょう》を支払う義務を負います（民法601条）。

賃借人は、賃貸借終了の時に目的物を賃貸人に返還しなければなりません。それまでは、目的物を**善良《ぜんりょう》な管理者《かんりしゃ》の注意義務《ちゅういぎむ》（善管注意義務《ぜんかんちゅういぎむ》）**をもって管理しなければなりません（民法400条）。善管注意義務とは、取引上の社会通念に照らして一般的に要求される十分な注意をする義務のことです。

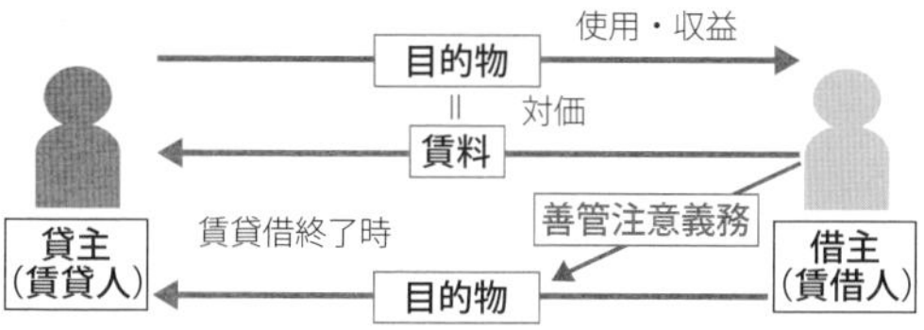

3 請負

請負《うけおい》とは、当事者の一方がある仕事を完成することを約束し、相手方がその仕事の結果に対してその報酬《ほうしゅう》を支払うことを約束することによって成立する契約です（民法632条以下）。仕事の注文をする人を**注文者《ちゅうもんしゃ》**、仕事を引き受ける人を**請負人《うけおいにん》**といいます。

工務店に家を建ててもらう場合や音楽家の演奏、俳優の出演などが、これにあたります。

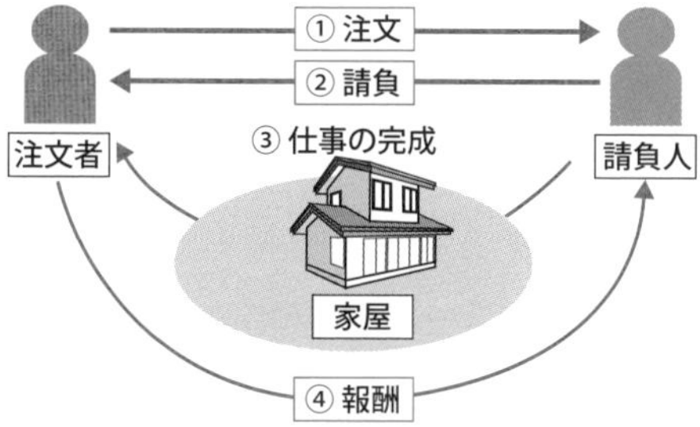

請負契約を結んだ請負人は、報酬を受ける権利を有します。ただし、その支払いを受けることができるのは、特に定めがない限り、仕事の完成後です（後払《あとばら》いの原則、民法633条）。

4 委任

委任《いにん》とは、当事者の一方が法律行為《ほうりつこうい》（契約）をすることを相手方に委託し、相手方がこれを承諾することによって成立する契約です（民法643条以下）。委託をした当事者を**委任者**《いにんしゃ》、委託を受けた当事者を**受任者**《じゅにんしゃ》といいます。

委任契約の例としては、行政書士が依頼者から依頼を受けて、車庫証明や外国人の在留申請《ざいりゅうしんせい》などの手続を行うことがあげられます。

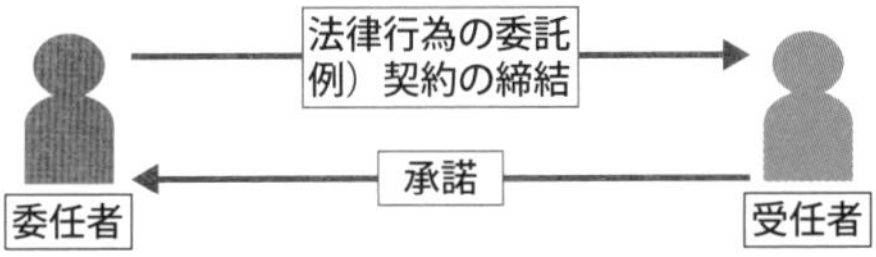

民法上、委任契約では特約がなければ、受任者は、委任者に対して報酬を請求することができません（民法648条）。

受任者は、報酬を受け取るか否かにかかわらず、委任者のために善良な管理者の注意を払って、委任事務の処理にあたらなければなりません（**善管注意義務**、民法644条）。委任契約は、当事者である委任者と受任者の間の信頼関係《しんらいかんけい》に基づいているからです。

〈委任契約の種類と報酬・善管注意義務の有無〉

	報酬の支払い	善管注意義務
有償《ゆうしょう》委任	あり	あり
無償《むしょう》委任	なし	あり

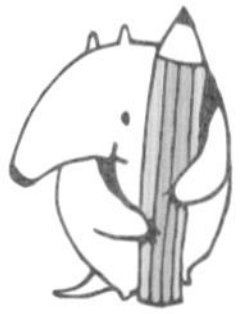

5 寄託

寄託《きたく》は、当事者の一方がある物を保管をすることを相手方に委託し、相手方がこれを承諾することによって成立する契約です（民法657条以下）。保管する者を**受寄者**《じゅきしゃ》、保管を委託した者を**寄託者**《きたくしゃ》といいます。

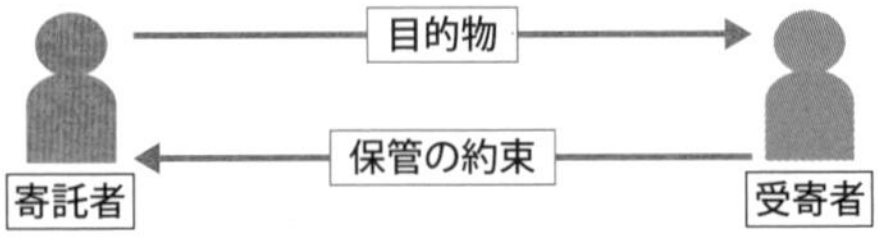

報酬をもらう約束をして品物を預かった（有償《ゆうしょう》寄託《きたく》契約の）受寄者は寄託者に対して、善良な管理者の注意を払って品物の保管をしなければなりません（**善管注意義務**、民法400条）。

報酬をもらう約束をしない（無償《むしょう》寄託《きたく》契約の）受寄者は、その者の具体的な注意能力に応じた注意義務（**自己の財産に対するのと同一の注意義務**）を負います（民法659条）。報酬をもらうわけではないので、報酬をもらう場合ほど重い義務は負わないということです。

	報　酬	注意義務の程度
有償寄託	あり	善良な管理者の注意義務（重い）
無償寄託	なし	自己の財産に対するのと同一の注意義務（軽い）

この章の POINT

- 民法は契約自由《けいやくじゆう》の原則をとる一方、**典型契約《てんけいけいやく》**について定めを置いている。
- 消費貸借《しょうひたいしゃく》の目的物は金銭や物で、借主《かりぬし》は、これを消費し、同じ種類、品質および数量の物を返還する。
- **賃貸借契約《ちんたいしゃくけいやく》**は、貸主が借主に目的物を使用・収益《しゅうえき》させ、借主がこれに対して賃料《ちんりょう》を支払う契約である。
- 請負契約《うけおいけいやく》は、請負人《うけおいにん》が仕事を完成させ、注文者《ちゅうもんしゃ》がこれに対して報酬《ほうしゅう》を支払う契約である。
- 委任契約《いにんけいやく》は、委任者《いにんしゃ》から委託された事務を受任者《じゅにんしゃ》が処理する契約である。
- 寄託契約《きたくけいやく》は、寄託者《きたくしゃ》から受け取った物を受寄者《じゅきしゃ》が保管する契約である。

レッスン 4

契約以外に債権が発生するのはどのような場合か？

アプローチ

1 契約に基づく責任との違い

契約を結べば、債権・債務が発生することはこれまで述べてきました。しかし、債権・債務が発生する原因は契約だけではありません。契約を結ばなくても、債権を得たり、債務を負うことがあります。

その一つに不法行為《ふほうこうい》があります。不法行為とは、**人が行った行為によって事故が起こり、損害が発生した場合**をいいます。

契約責任は、当事者が自分から望んで契約を結んだことにより生まれるものですが、不法行為責任は、当事者が望まなくても現に発生してしまった事実から生まれるものです。

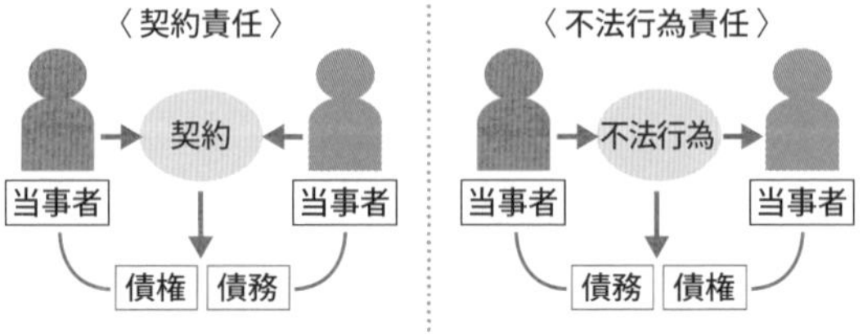

2 不法行為の要件と効果とは？

不法行為が成立するためには、いくつか要件を満たさなければなりません。要件が満たされて不法行為が成立すると、その効果として**損害賠償請求権**が発生します（民法 709 条）。

1 要件

a．損害の発生

まず、**損害が発生すること**が必要です。不法行為制度の目的は、損害の公平な分担にあるといわれています。要するに、損害が発生したときに、その賠償責任を加害者に負わせることによって、被害者の損害について埋合せをしようということです。

b．行為の違法性

その損害が人の違法な行為によって引き起こされたことが必要です。自然災害や合法な行為で損害が発生しても不法行為ではありません。

c．故意または過失

その行為が、**行為者の故意（わざとした）または過失（うっかりミス）によるものであること**が必要です。不可抗力《ふかこうりょく》による行為に基づく場合は不法行為ではありません。

d．因果関係

損害が、その行為によって生じたものであること、つまり因果関係《いんがかんけい》が必要です。行為と無関係に損害が生じても不法行為ではありません。

e．責任能力

加害者に責任能力《せきにんのうりょく》があることが必要です。責任能力とは、自分がその行為を行うとどのような結果が起こるかがわかり、これを避けることができる精神的能力をいいます。年少者や精神状態が普通でない人が行った加害行為は、不法行為となりません。

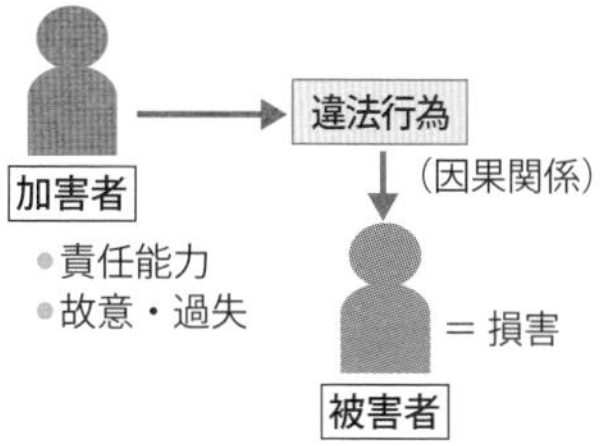

❷ 効果

ある日、A男とB子がドライブに出かけた帰り道、赤信号の交差点で停止しているところへ、後ろから来た軽トラックに追突されました。A男は、シートベルトとエアバッグで保護されたため、軽傷で済みましたが、それでも首と腰を負傷し、通院治療を余儀なくされました。

不法行為が成立すると、**被害者は加害者に対して損害賠償を求めることができます**。つまり被害者が債権者に、加害者が債務者になります。

この場合、A男は軽トラックのドライバーTに対し、損害賠償を求めることができます。つまり、A男は契約によらずに債権者となり、Tは債務者となるのです。

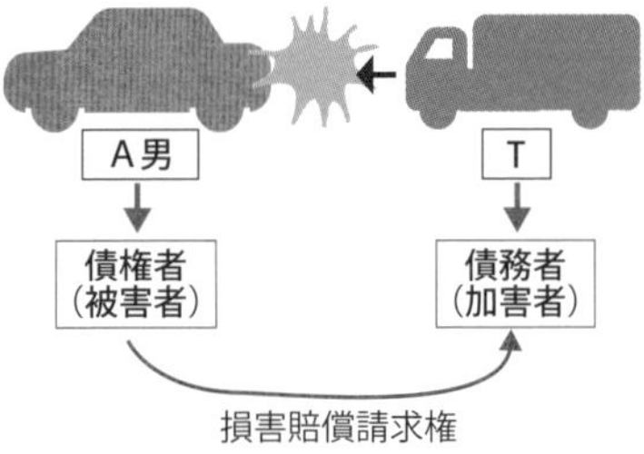

3 特殊の不法行為とは？

民法では、これまで説明してきた不法行為（民法709条）の要件とは異なる要件で成立する不法行為が定められています。これを**特殊の不法行為**といいます。ここでは、特殊の不法行為のうち、使用者責任《しようしゃせきにん》と土地《とち》工作《こうさく》物責任《ぶつせきにん》を取り上げます。

1 使用者責任

　Ａ男が乗っていた車に追突した軽トラックを運転していたＴは、Ｕ運送の従業員でした。Ａ男はＴを被告として裁判を起こそうとしましたが、Ｔはあまりお金をもっていないようです。

　この場合、Ａ男は、Ｔの雇い主であるＵ運送を相手に損害賠償を求めることができるでしょうか。

　民法は、会社の従業員が、その仕事中に不法行為を行った場合、会社がその損害を賠償する責任を負うと定めています。これを**使用者責任**といいます（民法715条）。

　会社は、従業員を使って仕事をさせて利益を上げているので、従業員が仕事中に第三者に損害を与えた場合、会社がその賠償の責任を負うべきであるという考え方に基づいています。

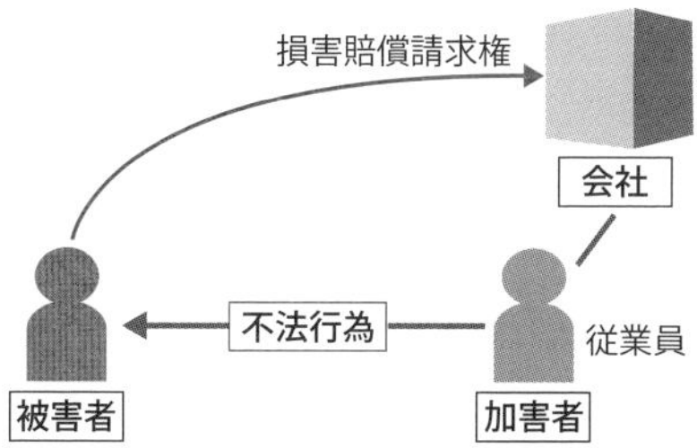

　したがって、Ａ男は、Ｕ運送に対して損害賠償を求めることができます。

2 土地工作物責任

　建物などの土地の工作物（土地工作物といいます）は、崩壊などにより他人に損害を生じさせる危険があります。そのため、土地工作物を支配している者は、土地工作物の設置《せっち》または保存《ほぞん》について特別の責任を負わされています。この特別の責任を**土地工作物責任**といいます。

　土地工作物責任を負わされる者の典型は、土地工作物の所有者ですが、建物を賃借《ちんしゃく》している居住者などもこれに該当します。たとえば、賃借している家屋の屋《や》根《ね》瓦《がわら》が落下し、通行人が負傷した場合、一次的に土地工作物責任を負うのはその家屋の賃借人（「ちんがりにん」または「ちんしゃくにん」）です。しかし、賃借人は、損害の発生を防止するのに必要な注意をしていれば、責任を免れます。つまり、免責《めんせき》されるのです。そして、その家屋の所有者が二次的に責任を負うことになります。この所有者の責任は、過失がなくても成立し、賃借人の責任のように免責されることはありません。

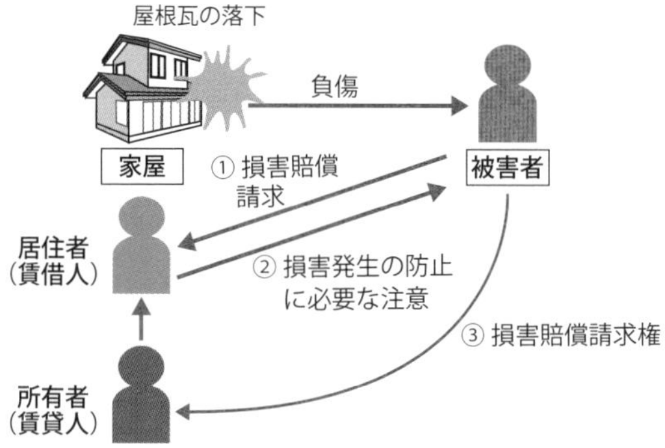

この章の POINT

- 債権は、契約以外の原因で発生することがあり、**不法行為《ふほうこうい》**はその典型である。
- 不法行為は、その要件が満たされた場合に当然に成立し、その効果として、加害者には被害者に対する**損害賠償責任**が発生する。
- **使用者責任《しようしゃせきにん》**は、会社の従業員が就業中《しゅうぎょうちゅう》などに行った不法行為について会社が責任を負うものである。
- **土地工作物責任《とちこうさくぶつせきにん》**は、土地工作物を支配している者に、土地工作物の設置《せっち》または保存《ほぞん》について特別の責任を負わせるものである。

レッスン 5 家族に関する法律はどのようになっているか？

アプローチ

1 親族法とは？

民法のうち家族に関する法律関係について定めた部分を**親族法**《しんぞくほう》といいます。その中心となるのは、婚姻《こんいん》と親子に関する定めです。

親族とは、6親等《しんとう》内の血族《けつぞく》、配偶者《はいぐうしゃ》、3親等内の姻族《いんぞく》をいいます（民法725条）。

血族とは文字どおり血のつながった者、つまり血縁者のことです。配偶者とは夫婦の一方からみた他方、つまり夫からみた妻、妻からみた夫をいいます。**姻族**とは、配偶者の血族、つまり夫からみて妻の血族、妻からみて夫の血族をいいます。

親等とは、その人からみて世代の遠い近いを表すものさしです（民法726条）。

自分（本人）からみて、親は１親等、子も１親等です。配偶者は親等がなく、兄弟姉妹は２親等、祖父母も２親等、孫も２親等です。

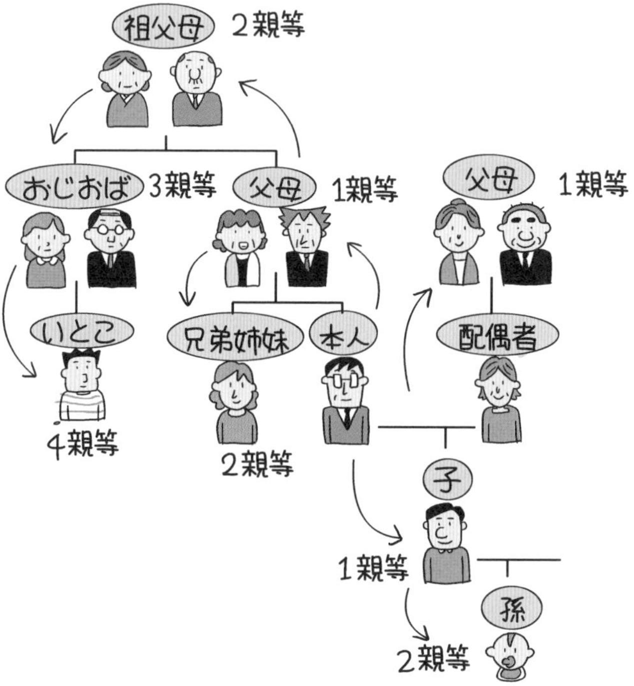

1 婚姻

> Ａ男はＢ子と結婚式を挙げ、かねてより用意してあったＮマンションの 501 号室に入居し、新しい生活を始めました。ところが、まだ婚姻届を役所に提出していません。
>
> 二人は、法律上の夫婦といえるでしょうか。

婚姻《こんいん》とは、法律上の結婚のことです。法律上、婚姻が有効に成立し、夫婦と認められるためには、当事者間に婚姻の意思があり、かつ婚姻届が提出され、これが受理されていなければなりません（民法 739 条）。なお、婚姻《こんいん》障《しょう》害《がい》にあたる事由がある場合には、婚姻をすることができません。

〈 婚姻障害の例 〉

婚《こん》姻《いん》適《てき》齢《れい》	満 18 歳以上でなければ婚姻できない
近《きん》親《しん》婚《こん》	直系血族または３親等内の傍系《ぼうけい》血族の間の婚姻は禁止されている

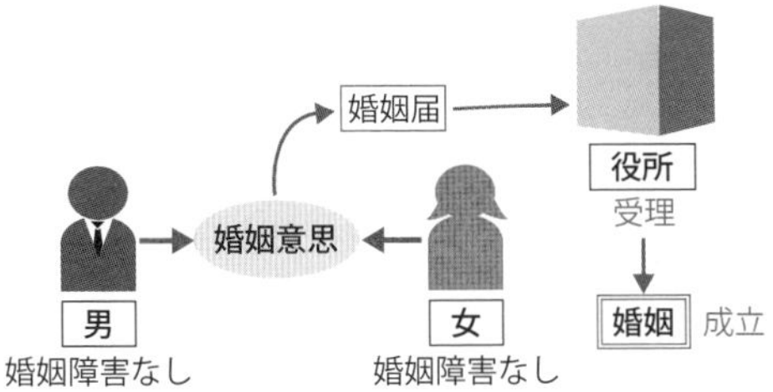

A男とB子との間に、婚姻障害にあたる事由がなければ、二人の合意の下で婚姻届を役所に提出し、これが受理されたときにはじめて法律上の夫婦となります。

2 親子

婚姻届を提出する前に、A男とB子の間に、かわいい女の子が授かりました。二人は、D子と名づけました。

D子は、法律上、当然にA男の子といえるでしょうか。

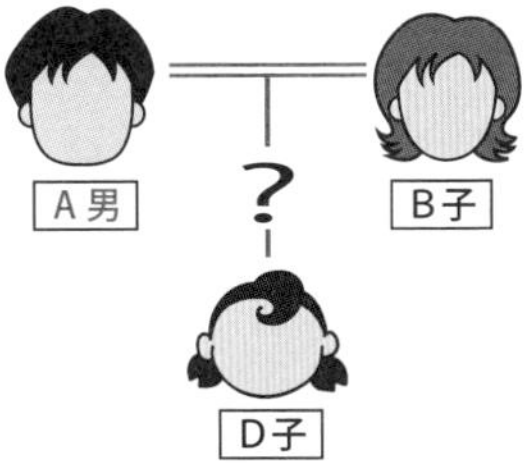

婚姻関係にある男女（つまり法律上の夫婦）の間に生まれた子を**嫡《ちゃく》出《しゅつ》子《し》**といいます。これに対して、婚姻関係にない男女（つまり内《ない》縁《えん》の夫婦）の間に生まれた子を**非《ひ》嫡《ちゃく》出《しゅつ》子《し》**といいます。

嫡出子は、当然に母と父の子として認められ、父母双方の親族と親族関係が生じます。

これに対し、非嫡出子は、母の子であることは認められますが、父が認知しない限り、父の子とは認められず、父の親族とも親族関係は生じません。

非嫡出子が父に認知《にんち》された場合、生まれた時にさかのぼって父の子として認められ、父の親族との親族関係が生じます。

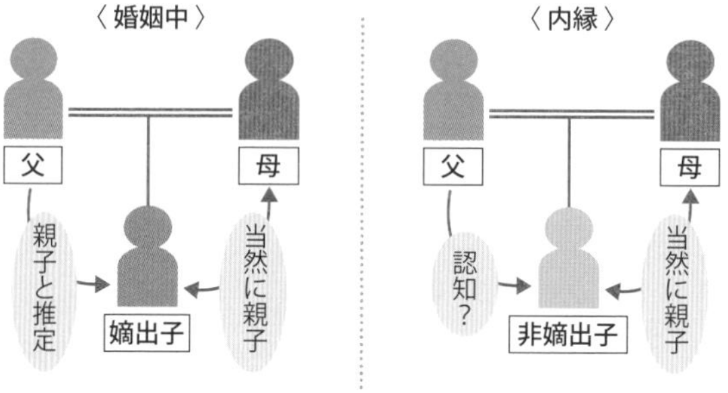

A男は、認知をしてはじめて、法律上、D子の父親として認められます。さらに婚姻届を提出することによって、D子はA男の嫡出子となることができます。

2 相続法とは？

民法のうち相続に関する法律関係について定めた部分を**相続法《そうぞくほう》**といいます。その中心となるのは、法定相続《ほうていそうぞく》（相続人・相続分《そうぞくぶん》）と遺言相続《いごんそうぞく》に関する定めです。

1 法定相続（相続人・相続分）

A男の父Cは、A男、A男の母および兄、叔父、叔父の子（A男の従姉妹《いとこ》）、伯母、伯母の子（A男の従兄弟《いとこ》）を残して死亡しました。

この場合、誰が父Cの財産を相続するのでしょうか。

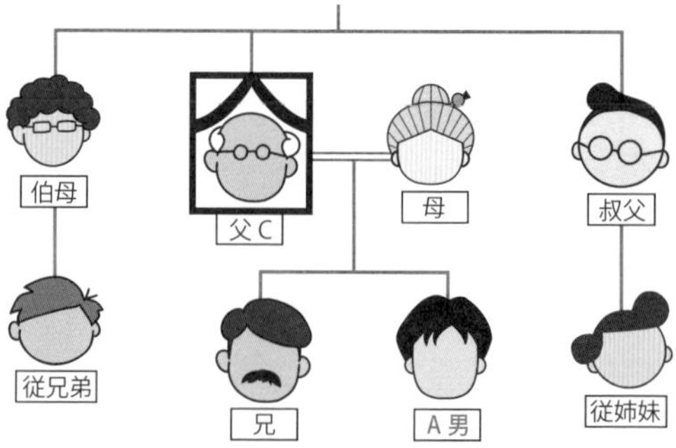

相続とは、死亡した人が生きている間にもっていた財産を家族に引き継がせる制度です。**死亡した人を被相続人《ひそうぞくにん》といい、財産を引き継ぐ人を相続**

人といいます。

相続によって引き継がれる財産は、被相続人がもっていたすべての財産です（民法 896 条）。これには借金も含まれます。借金を相続すると、相続人は債権者に弁済をしなければなりません。

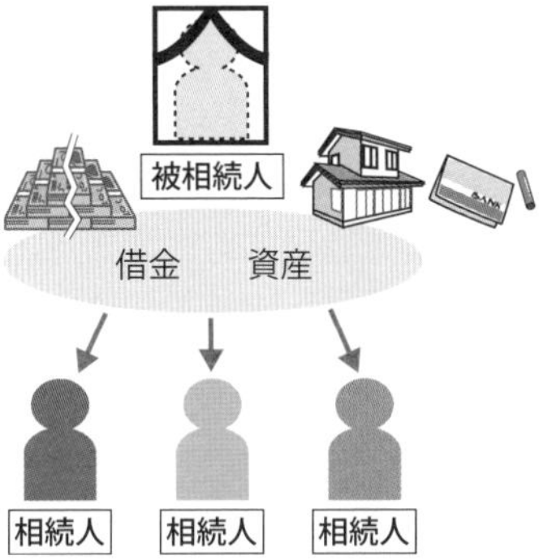

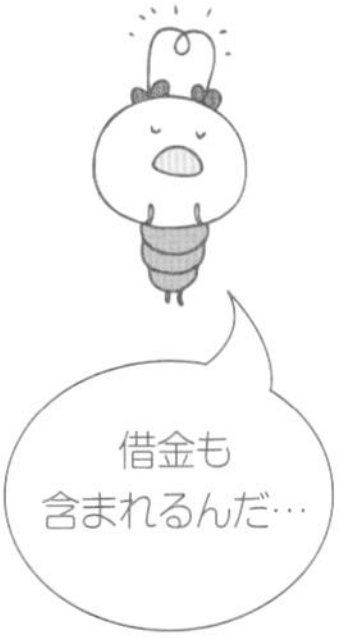

相続人として法律で定められた人を**法定相続人《ほうていそうぞくにん》**といいます。

法定相続については一定のルールが定められています（民法 886 条以下）。

① **被相続人の配偶者は常に相続人となります**。被相続人に子、親、兄弟姉妹がいないときは、配偶者が被相続人の財産をすべて相続します。

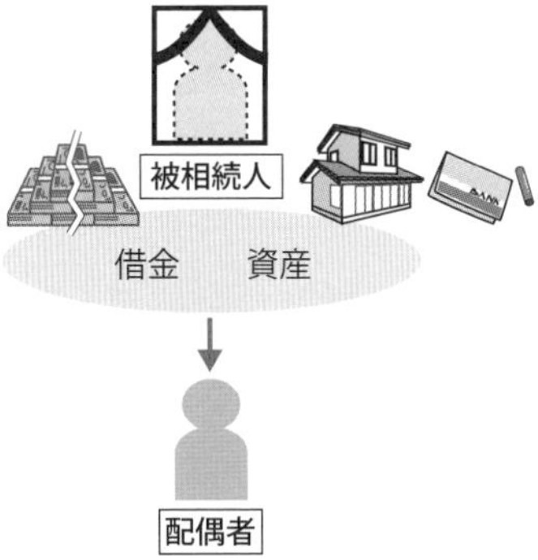

② 被相続人の子、親、兄弟姉妹は、同時には相続人になれません。

③ **被相続人に子がいれば、子が配偶者とともに相続人となります**。このとき、親と兄弟姉妹は相続人になれません。相続分は子が２分の１、配偶者が２分の１です。子が何人もいるときは、２分の１の財産をさらに

子の人数で均等に分けます。

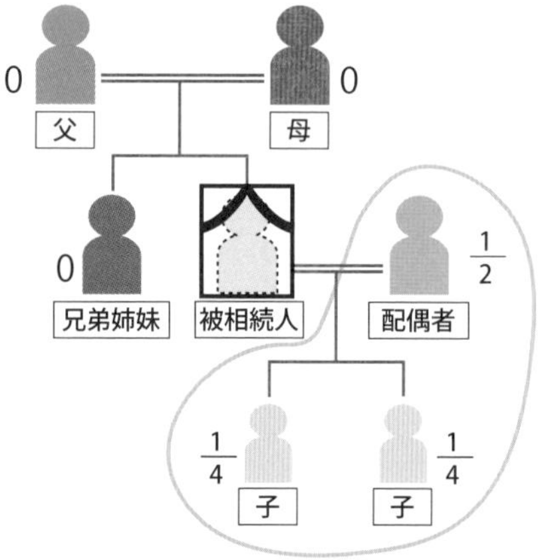

④　**子がいないときは、親がいれば、親が配偶者とともに相続人になります**。この場合は、兄弟姉妹は相続人になれません。相続分は親が３分の１、配偶者が３分の２です。両親が揃《そろ》っているときは、３分の１の相続分は均等に二人で分け合います。

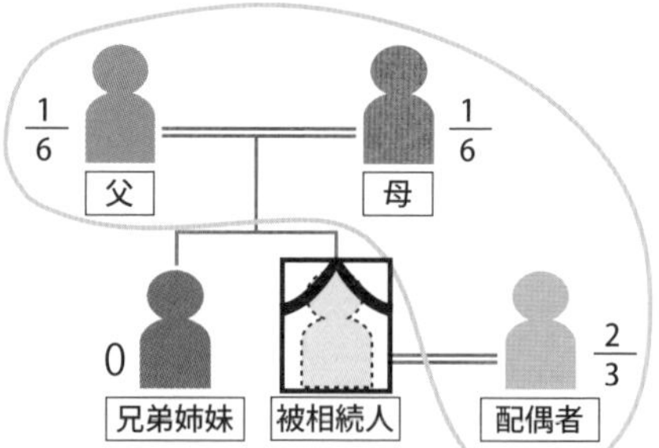

⑤　**子も親もいないときは、兄弟姉妹が配偶者とともに相続人になります。** 相続分は兄弟姉妹が４分の１、配偶者が４分の３です。兄弟姉妹が何人もいるときは、４分の１の相続分をその人数で均等に分けます。

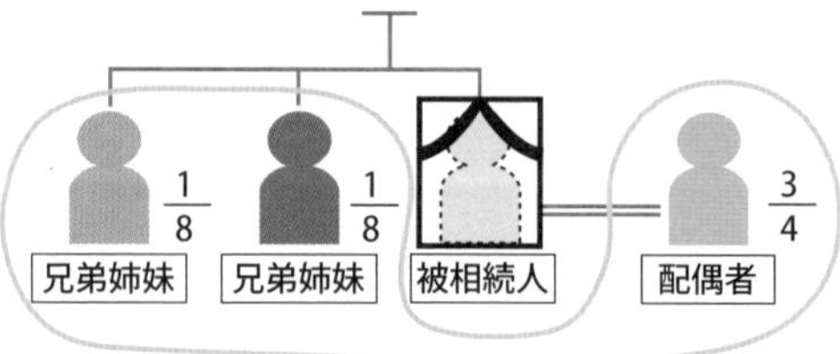

A男は、母と兄とともに、父Cの財産を相続することになります。相続分は母が2分の1、兄が4分の1、A男が4分の1です。

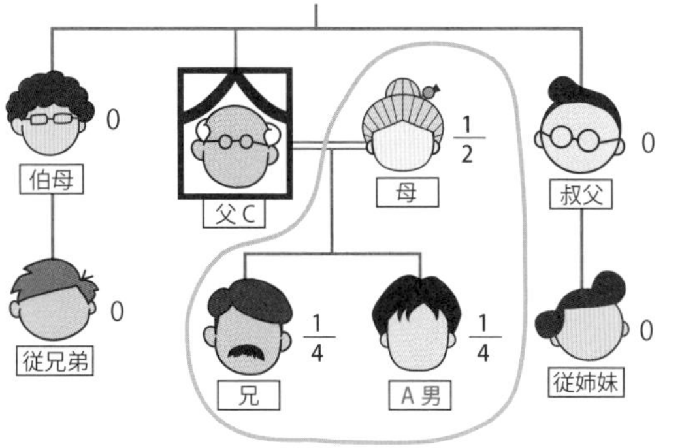

2 遺言相続

数か月前、A男の父Cは病床に伏していました。父Cは、莫大《ばくだい》な資産を有する投資家でしたが、離れて暮らすA男に、法定相続分よりも財産を多く残してやりたいと考えていました。

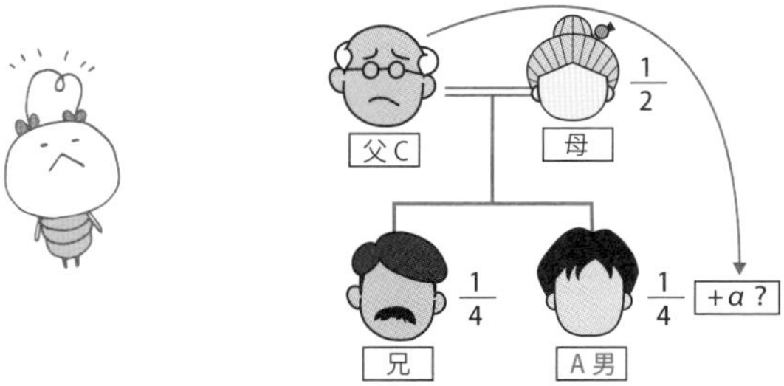

被相続人は、**遺言**（「いごん」または「ゆいごん」）をして、その死後における財産の処分について自由に決定することができます。遺言は、被相続人が自分の死後、生前もっていた財産がどうなるかを自由に決められる制度です（民法 960 条以下）。

被相続人が遺言によって自己の財産を処分することを遺贈《いぞう》といいます。

遺言をするには、自分が行った行為がどのような結果となるかを判断することができる能力（意思能力《いしのうりょく》）が必要です。この能力があり、**満 15**

歳以上の者であれば、誰でも遺言をすることができます。

父Cは、A男に××県にある山林をはじめとして、いくつかの不動産を贈る旨の遺言をした後、亡くなりました。A男は、これらの不動産を処分して元手にし、起業することにしました…

この章のPOINT

- **親族《しんぞく》**とは、6親等《しんとう》内の血族《けつぞく》、配偶者《はいぐうしゃ》、3親等内の姻族《いんぞく》をいう。
- 婚姻《こんいん》は、当事者間に婚姻の意思があり、かつ婚姻届が提出され、これが受理されてはじめて有効に成立する。
- 法定相続《ほうていそうぞく》については、一定のルールが定められている。
- 被相続人《ひそうぞくにん》は**遺言**（「いごん」または「ゆいごん」）をすることによって、その死後における財産の処分について自由に決定することができる。

3

商法

レッスン 1

商法・会社法は何のための法律か？

アプローチ

1 商法・会社法は何のために存在する法律か？

民法は、一般の人々の市民生活を対象として、そのなかで行われる取引や家族のことについて定めている法律です。とりわけ、一般の人どうしで行われる取引を想定しているため、個人の事業主や会社などの企業が**営業として繰り返し行う大量の定型的《ていけいてき》な取引**については、必ずしも適切な対応をしていません。

また、会社は、一般に、その規模が大きく、取引の相手方も多いため、会社との関係で利害関係をもつ者が数多くかかわってきます。ですから、その組織がしっかりと構築されていなければなりません。

そこで、企業が行う取引については**商法**がさまざまな規定を置き、会社の組織については**会社法**がきめ細かく定めています。

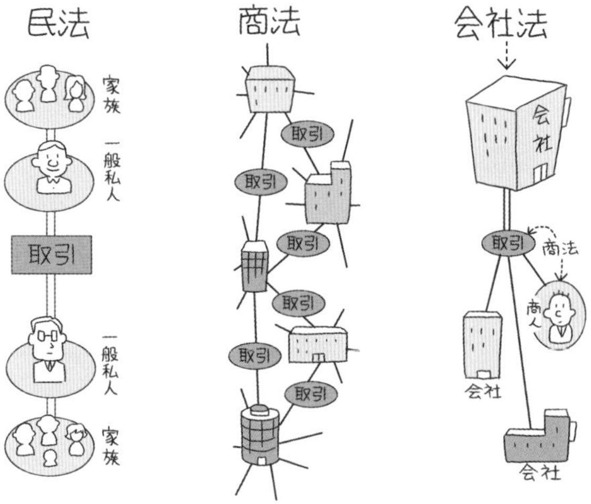

2 商法の特色とは？

1 商法の特色

a．営利性、集団性、反復継続性

企業は利益を得るために活動します。このことを**営利目的**《えいりもくてき》といいます。ですから、取引は無駄のないように（効率的に）行わなければなりません。

また、企業の商取引は毎日行われますので、多数の行為がまとまって（集団的に）、繰り返し（反復継続的《はんぷくけいぞくてき》に）、型どおりに（定型的に）行われます。ですから、すばやく（迅速《じんそく》に）処理される必要があります。

企業が健全でスムーズ（円滑）に経済活動を行い、発展していけるように商法が定められています。

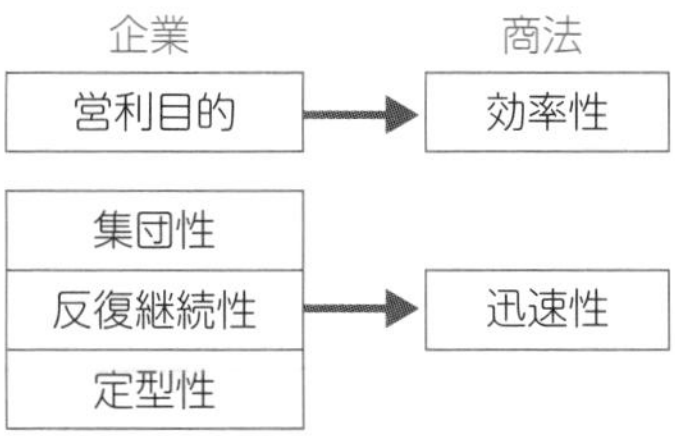

b．民法の特別法

民法と商法は、民法が**一般法**《いっぱんほう》、商法が**特別法**《とくべつほう》という関係にあります。すなわち、民法は人が行う取引一般について規定した一般法で、商法は企業

が行う取引について規定した特別法です。したがって、企業が行う取引については、**商法が民法に優先して適用されます**（一般法と特別法については、基礎法学のレッスン２で詳しく説明します）。

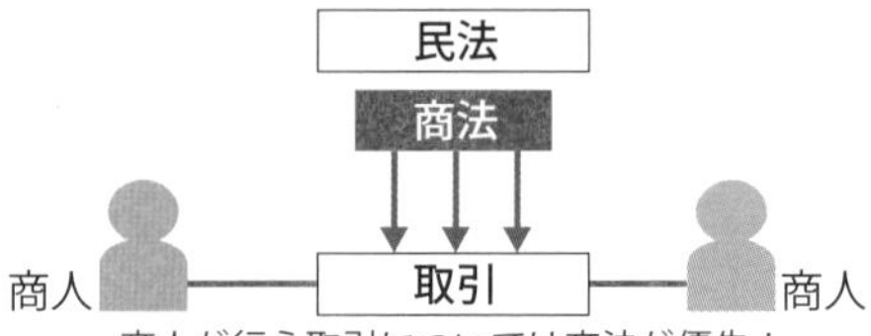

商人が行う取引については商法が優先！

２ 商法の規定の仕方

商法の規定は、集団的・反復継続的・定型的な取引が健全かつ円滑に行えるよう、取引が迅速に処理されるように工夫されています。そのため、商人が行う取引では、契約の成否や解除を早く決定することができるように、民法の規定が修正されています。

たとえば、売買契約がなされ、目的物を受け取った買主は、目的物の検査および通知義務を負います（商法 526 条）。これによって、目的物の種類、品質または数量に関する契約内容への不適合を早期に発見し、法律関係を早く安定させようとしているのです。

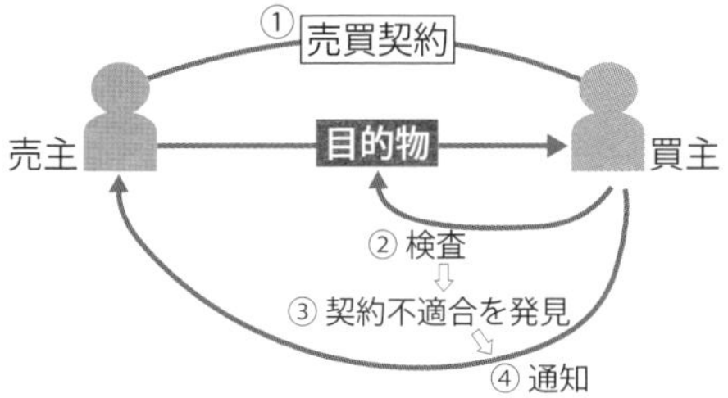

この章の POINT

- さまざまな経済取引には、一般に民法が適用される。ただし、民法が対象とするのは、一般の人どうしの取引であり、企業が行う取引には**商法が優先して適用**される。
- 商法の規定は、**集団的**・**反復継続的《はんぷくけいぞくてき》**・**定型的《ていけいてき》**な取引が健全かつ円滑に行えるよう、取引が迅速《じんそく》に処理されるように工夫して定められている。

レッスン 2 商法はどのようなことを定めているか？

アプローチ

商法は、企業が行う取引について規定した法律だということはわかりましたね。では、次は商法がどのような取引に適用され、どのようなことを定めているかを学習しましょう。
重要なキーワードは、「商人」と「商行為」です

1 商人および商行為の定義とは？

1 商人とは

商法では、商法の適用対象となる取引を行う者を商人《しょうにん》といい、商人とは、**自己の名《な》をもって商行為《しょうこうい》を行うことを業《ぎょう》とする者**をいうと定義されています（商法4条1項）。

「自己の名をもって」とは、自らが権利・義務の主体となるということです。

商行為については、2 で詳しく述べます。

「業とする」とは、同種の行為を継続的かつ反復して行うということです。

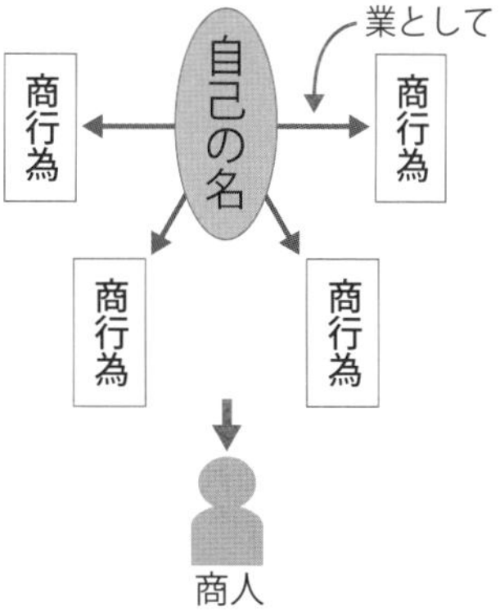

たとえば、自分が主体となって利益を得る目的で物品を売買する行為を継続的に行う者は、商人に該当します。

2 商行為とは

商行為には、**絶対的商行為**、**営業的商行為**、**附属《ふぞく》的商行為**があります。

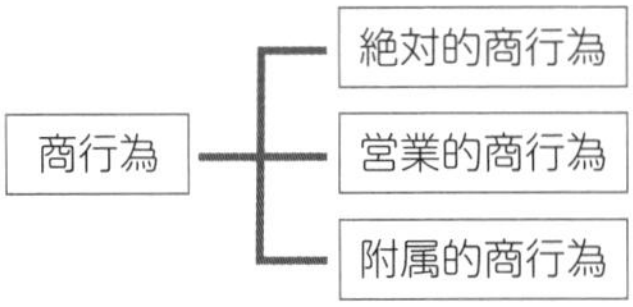

絶対的商行為とは、営利性《えいりせい》が強いため、**誰が行っても商行為とされる行為**をいいます。たとえば、デパートが行う商品の仕入れや、証券会社が証券取引所で行う株式の売買などがこれにあたります（商法 501 条）。

営業的商行為とは、**営業として反復継続《はんぷくけいぞく》して行う場合に商行為となる行為**をいいます。たとえば、レンタカー業者が貸出用の自動車を購入する行為や、宅配業者が行う荷物の配送などがこれにあたります（商法 502 条）。

絶対的商行為と営業的商行為をあわせて**基本的商行為**といいます。基本的商行為を自己の名で業として行う者が商人です。

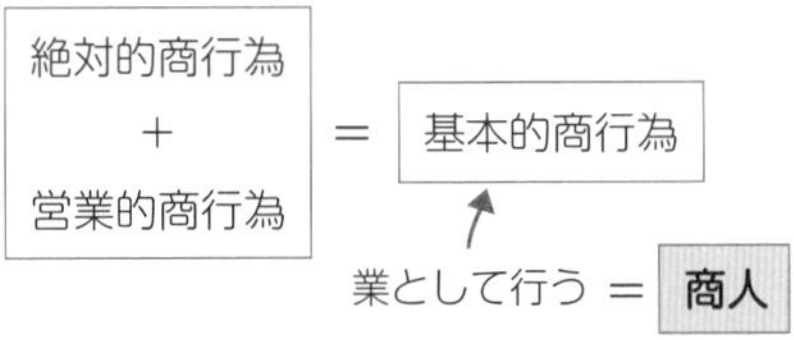

附属的商行為とは、**商人が営業のためにする補助的な行為**をいいます（商法 503 条 1 項）。そのため、附属的商行為は、基本的商行為に対するものとして補助的商行為ともいわれます。

このように、「営利の目的を実現するため企業が対外的に行う取引活動」が商行為なのです。

なお、会社がその事業としてする行為およびその事業のためにする行為は、商行為です（会社法 5 条）。

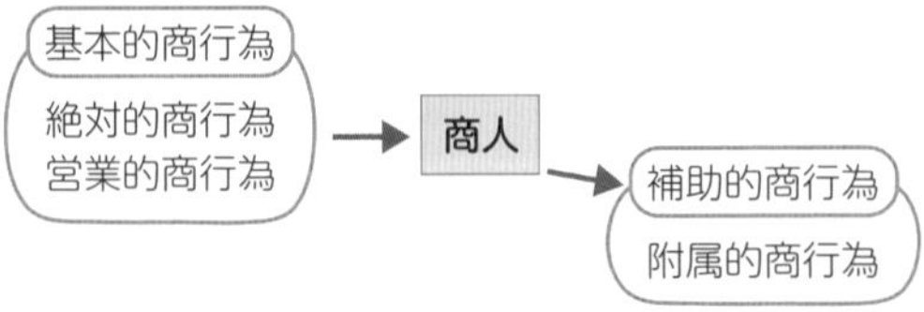

絶対的商行為以外の商行為は、相対的な概念です。そのため、二人の当事者の間で取引が行われた場合に、一方にとっては商行為となるものの、他方にとっては商行為でない場合があります。

ある日、AはBデパートで買い物をするため、C社のタクシーに乗って出かけました。このとき、個人であるAがタクシーに乗る行為は、C社からみれば商行為となりますが、乗客であるAからみれば商行為ではありません。同様に、Aが消費者としてBデパートで商品を購入する場合、Bデパートにとって商品を販売する行為は商行為となりますが、Aにとって商品を購入する行為は商行為ではありません。

このように、一方の当事者にとってのみ商行為となる行為を**一方的商行為**といいます。一方的商行為については、**両当事者に商法が適用されます**（商法３条）。

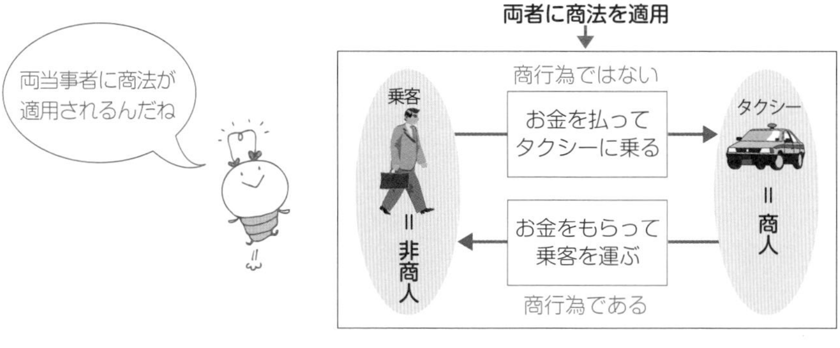

2 商法の内容とは？

企業が行う取引は営利性を有し、その活動は反復的・集団的・定型的に行われ、かつ迅速に処理されます。言い換えると、企業取引はお金儲けを目的として、繰り返し繰り返し大量に、しかも定型的にスピーディに行われます。この点、一般私人《しじん》間の取引行為とは大きな違いがあります。

こうした違いに基づいて、民法で学んだ代理や保証をはじめ、商法には民法の規定と異なった次のような内容が定めてあります。

	民　法	商　法
代理の方式	代理人が本人のために行為することを示すこと（顕名《けんめい》）が必要	顕名は不要
一つの債務を複数の者が負担する場合の債務額	債務額を債務者の人数で均等に頭割りした額（分割債務）	債務全額（連帯債務）
保証	特約《とくやく》がなければ、通常の保証	特約がなくても、当然に連帯保証
留置権《りゅうちけん》の要件	被担保債権《ひたんぽさいけん》が、留置する目的物に関して生じたこと（牽連性《けんれんせい》）が必要	牽連性は不要

※ この表の内容は、現段階ですべてを理解できなくてもかまいません。民法と商法とでは、多くの異なる点があることを理解したら先に進みましょう。

この章の POINT

- **商人《しょうにん》**とは、自己の名《な》をもって商行為《しょうこうい》を行うことを業《ぎょう》とする者をいう。
- **絶対的商行為**とは、誰が行っても商行為とされる行為をいう。
- 営業的商行為とは、営業として反復継続《はんぷくけいぞく》して行う場合に商行為となる行為をいう。
- 絶対的商行為と営業的商行為をあわせて基本的商行為という。基本的商行為を自己の名で業として行う者が商人である。
- 附属《ふぞく》的商行為とは、商人が営業のためにする補助的な行為をいう。
- 企業が行う取引には、営利性《えいりせい》、集団性、反復継続性などの特徴があり、一般私人《しじん》間の取引行為とは大きな違いがあるため、商法は、これらの違いに基づいて、民法で学んだ**代理**や**保証**などについて、民法の規定と異なる内容を定めている。

レッスン 3 会社の仕組みはどのようになっているか？

アプローチ

1 会社法の特徴とは？

会社が企業活動を展開していけば、そこにはたくさんの**利害関係者《りがいかんけいしゃ》（ステークホルダー）**がかかわってきます。

会社では、企業活動によって生じた債務《さいむ》はその会社自身の債務となり、出資者（社員《しゃいん》）や経営者個人の債務とは区別されます。他方、企業活動により生じた利益も会社に帰属《きぞく》します。生じた利益が出資者（社員）や経営者個人に直接帰属することはありません。

ただし、会社が倒産し、これを清算《せいさん》する場合などには、会社の種類によっては、出資者（社員）が債務の弁済の責任を負うことがあります。これは、会社の取引の相手方（債権者《さいけんしゃ》）を保護するためです。

いずれにせよ、会社の存在は、会社の内外に多数の利害関係者を生み、会社のあり方がこれらの人に大きな影響を及ぼします（社会的影響力）。

それだけに、会社の組織はしっかりとしていなければなりません。この会社のつくり方や組織のあり方、運営の仕方を定めた法律が**会社法**です。

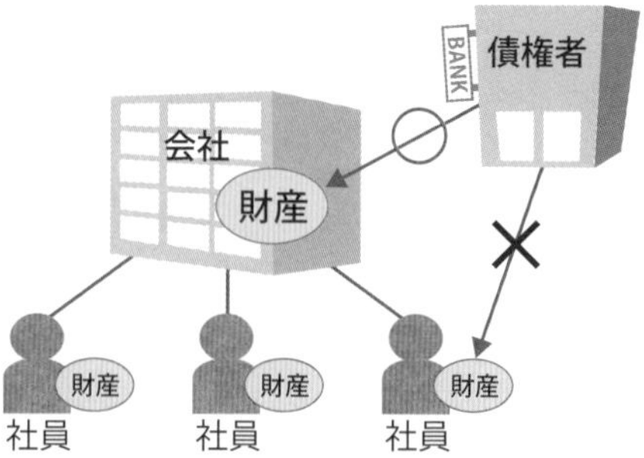

2 会社の種類とは？

1 ４種類の会社

会社には、**株式会社《かぶしきがいしゃ》**、**合名会社《ごうめいがいしゃ》**、**合資会社《ごうしがいしゃ》**、そして**合同会社《ごうどうがいしゃ》**の４種類があります（会社法２条１号）。そして、これらの会社を大きく、株式会社と株式会社以外の会社の二つに分け、**株式会社以外の会社**、すなわち合名会社、合資会社および合同会社を**持分会社《もちぶんがいしゃ》**とよんでいます。

この分類は､会社が債務を弁済することができない場合に出資者（**社員**）がどのような責任を負うか、または会社が利益を上げた場合にこれをどのように分配するか（配当《はいとう》）、によって会社を分けたものです。

		構成員	責　任	配当のルール
株式会社		株主	間接有限責任《かんせつゆうげんせきにん》	株主平等原則《かぶぬしびょうどうげんそく》（株式数に応じて分配）
持分会社	合名会社	社員	直接無限責任《ちょくせつむげんせきにん》	定款《ていかん》で自由に定める
	合資会社	無限責任社員	直接無限責任	定款で自由に定める
		有限責任社員	直接有限責任	
	合同会社	社員	間接有限責任	定款で自由に定める

2 株式会社と持分会社の違い

株式会社と合同会社の債権者は、その債権について**経営者や出資者に対し責任追及をすることができません**が、合名会社・合資会社の債権者は、その債権について経営者や出資者に対し責任追及をすることができます。

ただし、合名会社は、すべての社員が会社債権者に対して債権全額について責任を負うのに対し、合資会社は、全額について責任を負う社員もいますが、一部の社員は一定額についてのみ（自己の出資額の限度で）責任を負います。

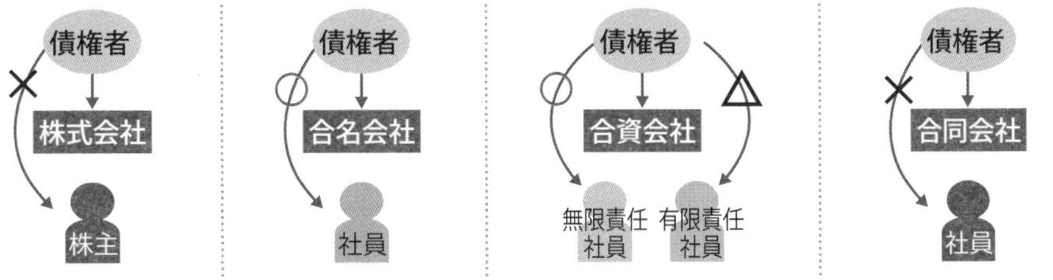

株式会社では、株主は**持ち株数に応じて**議決権を有し、かつ、利益分配を受ける権利を有します。これに対し、持分会社では、意思決定や利益分配の方法について定款で自由に定めることが認められています。

〈社員とは〉

社員という語は、日常用語としては、会社の従業員を指します。しかし、会社法上、社員とは、会社の従業員ではなく、会社の構成員である出資者を意味します。株式会社、合名会社、合資会社または合同会社のいずれであっても出資者を社員といいますが、株式会社の社員は特に株主といいます。

3 株式会社に関する会社法上の諸制度とは？

1 株式

株式会社は、数多くの人からお金を集めて大きな商売をするための仕組みです。そのために多数の人が出資をしやすいような工夫がされています。

会社の実質的所有者である社員すなわち株主の地位は、細かく分けられた均一な割合的《わりあいてき》単《たん》位《い》の形をとっています。これを**株式**といいます。

出資者は、たとえばお金があまりないから 10 株分の出資をする、とか資金に余裕があるから 100 株分の出資をする、というように、株式を自分がもっている資金の大きさ（資《し》力《りょく》）に応じた数だけ引き受けて、出資することができます。つまり、株式をたくさん買えば買うほど大きな株主になれる、ということです。

そして、株主は、**その持ち株の数に応じて**平等な扱いを会社から受けます（会社法 109 条 1 項）。これを**株主平等《かぶぬしびょうどう》の原則**といいます。

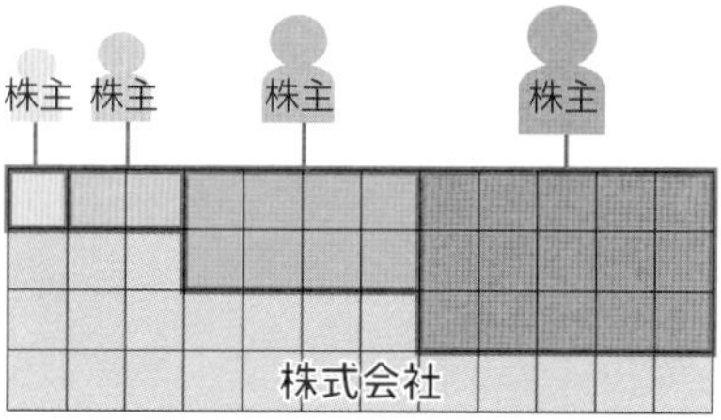

❷ 間接有限責任

株主は、引き受けた株式の代金を会社に支払うことによって、そのすべての責任を果たしたことになります。会社が取引先から借金をして債務を負ったとしても、これを弁済するのは会社であって、株主個人ではありません。制度上、株主が会社債権者から**会社の債務を弁済《べんさい》するよう求められることはない**のです。これを株主の**間接有限責任**といいます。

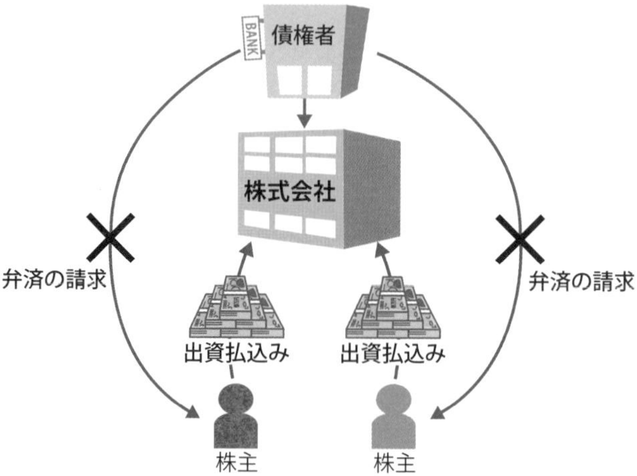

株主の責任が間接有限責任であることによって、株式会社では出資が得やすくなっています。

ところで、会社資本の確保の観点より、いったん株主が出資したお金の払戻《はらいもど》しは原則として認められていません。それでは、株主は出資したお金を取り戻すことはできないのでしょうか。

いったん出資したら、そのお金は二度と戻ってこない、というのでは出資をする者がいなくなってしまいます。そこで、出資者が会社に投下した資本を回収することができるようにするために、株主は、**原則として株式を自由に譲渡する**ことができます（会社法127条）。これを**株式《かぶしき》譲渡《じょうと》自由《じゆう》の原則**といいます。

したがって、出資をしたけれども、そのお金を取り戻したいと思う株主は、株式を他人に売って、その代金を受け取ればよいのです。

〈直接無限責任と間接有限責任〉

合名会社では、会社財産のみで会社債務を弁済することができない場合、社員個人が会社債権者に対して、債務が完済されるまで無制限に債務を負担し、会社債権者から直接請求を受けたときは、社員個人が個人財産で弁済をしなければなりません。これを直接無限責任といいます。

これに対し、株式会社の株主および合同会社の社員は、会社債権者に対して直接に責任を負いません。会社に対して、自らの出資責任の限度でのみ責任を負います。これを間接有限責任といいます。

③ 資本制度

株主は、間接有限責任しか負いません。

そのため、たとえば、もしもその会社が倒産したら、会社にお金を貸している債権者は、株主に対してお金を返せとはいえません。会社にある財産に対して強制執行《きょうせいしっこう》をして、その売却代金から返してもらうしかないのです。つまり会社の債権者にとっては、会社の財産だけが頼りです。

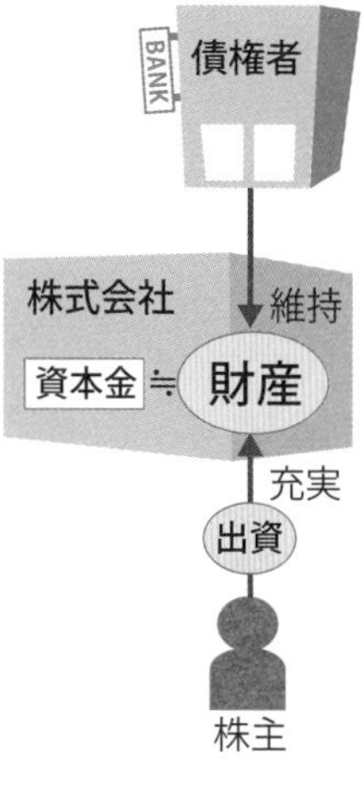

このことから、会社財産をしっかりとキープしておくこと、すなわち**会社の財産的基礎の確保が要請されます**。これにより、会社財産確保のための基準として**資本制度**が採用され、その確保・充実・維持に関する規定が設けられているのです。

〈資本充実・維持の原則〉

会社財産の基礎となる一定の金額を資本金といいます。資本充実・維持の原則は、会社に資本金の額に見合った財産が現実に払い込まれ、これを維持すべきとする原則をいいます。

④ 所有と経営の分離

持分会社すなわち合名会社、合資会社および合同会社では、会社の活動を社員相互の話し合いで決め、社員が自ら業務を執行し、会社を経営します。ですから、どこの誰が社員であるか、その個性が非常に重要な問題となります。

これに対し、いろいろな人から出資を募り資金を集める株式会社では、多数の社員（株主）が存在することが予定されています。この株主の多くは、必ずしも会社の経営（業務の執行）に関心があるわけではなく、またその能力をもっているわけでもありません。

そこで、株式会社では、株主総会で選任した**取締役などに経営を一任**し、機動的な活動が行えるような仕組みがとられています。これを**所有と経営の分離**といいます。

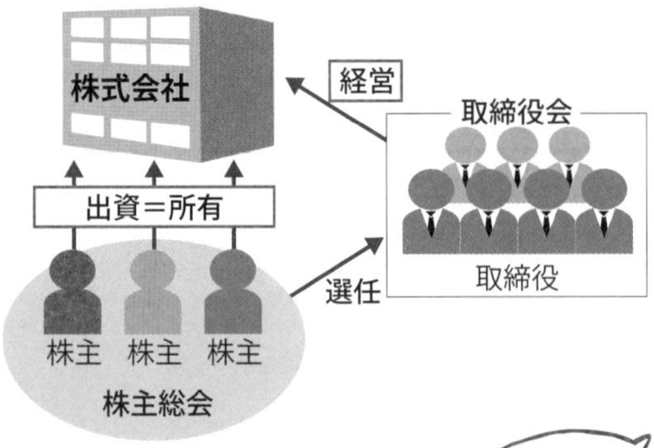

4 会社法はどのようなことを定めているか？

会社法は、会社のつくり方や組織のあり方、運営の仕方などを定めています。そこで、行政書士試験で最も出題される株式会社について、会社法で規定されていることを簡単に整理しておきましょう。

項　目	主要な内容
① 設立	株式会社をつくる手続や、会社設立の事務を行う発起人の責任など
② 株式	株式の内容や、株主名簿・株券など株式に関連する事項など
③ 機関	株式会社を経営するために設置される組織・役職（株主総会・取締役など）の権限、選任・解任の手続など
④ 計算	株式会社の事業によって生じた利益や損失を表すために作成される書類に関する事項、資本金や配当などの会社財産にかかわる手続など
⑤ 資金調達	株式会社が事業に用いる資金を調達するための手続など
⑥ 解散・清算	株式会社を消滅させる際の解散の手続や、会社財産の清算の手続など
⑦ 組織再編《そしきさいへん》	複数の会社が一緒になって一つの会社となる合併の手続や、一つの会社を複数の会社に分割する会社分割の手続など

この章の POINT

- 会社法は、会社のつくり方や組織のあり方、運営の仕方を定めた法律である。
- 会社には、**株式会社《かぶしきがいしゃ》**、**合名会社《ごうめいがいしゃ》**、**合資会社《ごうしがいしゃ》**、そして**合同《ごうどう》会社《がいしゃ》**の４種類がある。
- 株式会社の社員は**株主**とよばれ、株主の負う責任は間接《かんせつ》有限責任《ゆうげんせきにん》である。
- 株式会社では、会社債権者保護のために**資本制度**がとられている。
- 株式会社では、所有と経営が分離し、機関が分化している。

column コラム

スキマ時間の活用

行政書士試験は、試験科目が多く、また、それぞれ出題範囲も広いため、受験の準備には一定の時間が必要です。しかし、毎日まとまった学習時間をとることは難しいでしょう。そこで、スキマ時間の有効活用が重要となります。通勤・通学などの移動時間、昼休みや家事の合間などの休憩時間、各種の待ち時間など、スキマ時間は探せば意外に見つかるものです。たとえば、毎日 30 分のスキマ時間を学習に充てたとすると、1 年の合計で 180 時間を超えます。

資格試験の学習では、「知識の習得 → 知識の確認」を何度も繰り返し、知識の定着を図ることが重要です。スキマ時間に有効なのは、どこでも行うことができ、かつ、短時間で区切りをつけられる学習方法です。具体的には、頻出分野や自分が苦手としている分野について、要点を覚えたり、一問一答形式の問題を解いたりするのが効果的です。

たとえば、本書の姉妹書である『ユーキャンの行政書士 これだけ！一問一答集』のように、コンパクトで持ち運びがしやすく、問題と解説が見やすく配置してある一問一答形式の問題集で学習するのも一つの方法です。

また、電車などでの移動中であれば、スマートフォンやタブレットを使って学習するのが便利です。上記の『ユーキャンの行政書士 これだけ！一問一答集』は、「ユーキャン資格本アプリ」としてもリリースされています。

効率よく学習を進め、合格レベルの実力を身につけるためには、スキマ時間の有効利用がポイントとなるのです。

4

行政法

Lesson 1　行政法とは何か？

Lesson 2　行政を担う組織にはどのようなものがあるか？

Lesson 3　行政はどのような行為を行うか？

Lesson 4　行政手続に関するルールとは？

Lesson 5　行政に関するトラブルの解決方法は？

Lesson 6　地方の行政はどのように行われるか？

レッスン

1 行政法とは何か？

アプローチ

1 行政法という法律は存在するか？

1 行政とは何か？

行政とは、国や地方公共団体の行うすべての活動のうち、立法と司法を除いたもののことをいいます。

行政は、**国や地方公共団体の活動**のことですが、そのカバーする範囲は大変広く、行政を積極的に定義することは困難です。

そこで、一般に、行政とは、上記のように、立法と司法を除外したすべてという形で定義されています。

2 行政法とは？

行政法とは、行政に関して定めた法律のことをいいますが、実際には、行政法という名称の法律は存在しません。行政法というのは、**行政にかかわる法律を総称したもの**なのです。

行政法に含まれる法律は、多岐《たき》にわたりますが、一般にはこれを、行《ぎょう》政組織法《せいそしきほう》、行政作用法《ぎょうせいさようほう》、行政救済法《ぎょうせいきゅうさいほう》の三つの分野に分けています。

行政組織法	行政組織に関する法律 （例）内閣法、国家行政組織法、地方自治法
行政作用法	行政組織が行う行政活動について定めた法律 （例）行政手続法、行政代執行法《ぎょうせいだいしっこうほう》
行政救済法	行政活動によって不利益をこうむった国民が救済してもらうための手続やその内容について定めた法律 （例）行政不服審査法《ぎょうせいふふくしんさほう》、行政事件訴訟法《ぎょうせいじけんそしょうほう》

2 行政法の規律する分野・対象はどのようなものか？

行政法の規律する分野は行政全般ということになりますが、一般的には、次のように分けて説明がなされます。

1 行政組織　（詳しくはレッスン２で説明します）

行政組織とは、**行政に関する組織**のことです。行政組織のうち重要なものとして、行政主体《ぎょうせいしゅたい》と行政機関があります。

2 行政作用　（詳しくはレッスン３で説明します）

行政作用とは、**行政組織が行う行政活動**のことです。行政作用は、その性質により、権力的行政作用と非権力的行政作用に分類できます。

権力的行政作用	国（地方公共団体）が優越的な地位に立って公権力を行使し、国民に命令、強制することを本質とする行政作用
非権力的行政作用	国（地方公共団体）が国民と対等の立場に立って行う行政作用

3 行政救済　（詳しくはレッスン５で説明します）

行政救済とは、**行政活動によって不利益をこうむった国民を救済すること**です。行政救済について定めた行政救済法では、行政救済の手続や内容について規定しています。

④ 地方自治　（詳しくはレッスン6で説明します）

日本国憲法では、地方自治《ちほうじち》が憲法上の基本的な統治機構の一環として位置づけられ、地方公共団体の組織と運営は、地方自治の本旨《ほんし》に基づき法律で定められています（憲法92条）。

この地方自治については、国の行政とは別に説明します。

3 行政法にはどのような特色があるか？

① 行政法と憲法の関係

日本国憲法には、国の行政の担い手として内閣に関する規定（憲法65条～75条）が定められ、また、地方の行政に関しては地方自治の規定（憲法92条～95条）が定められています。

しかし、これらの規定はいずれも抽象的な規定にとどまっていますので、この規定を具体化するものとしてさまざまな行政法が制定されているのです。

行政法は、**憲法の規定を具体化する法律**であるため、憲法で定められた内閣や地方自治の規定の趣旨に反する内容とすることは認められません。

② 行政法と地方自治法の関係

地方自治法も広い意味では行政法の一部に含まれます。

行政法が国の行政について定めたものであるのに対し、地方自治法は、地方公共団体の行政について定めたものです。

また、地方自治については、憲法92条により憲法上保障されていることから、同条で保障されたいわゆる地方自治の本旨（レッスン6で説明します）に反する規定を地方自治法や行政法に置くことは認められません。

4 行政法にはどのような理念があるか？

1 法律による行政の原理

法律による行政の原理とは、**行政権の行使を法によって拘束《こうそく》し、その適正を図ろうとする原理**のことをいいます。

国家の行政権は、その強大な権力のゆえに、国民の権利や自由を侵害する危険性があります。そこで、行政権の行使を法（法律は国民の代表である国会議員で構成する国会によって制定されます）の拘束の下《もと》に置くことによって、国民の権利や自由を保護しようというのが、この法律による行政の原理です。

この法律による行政の原理には、次の三つの原理が含まれます。

法律の優位	いかなる行政活動も、行政活動を制約する法律の定めに違反してはならない
法律の留《りゅう》保《ほ》	行政活動を行うには法律の根拠が必要である
法律の法《ほう》規《き》創造《そうぞう》力《りょく》	新たな法規は、議会の定める法律、または法律の授権《じゅけん》に基づく命令の形式においてのみ、定めることができる

2 行政裁量

行政活動はさまざまな分野にまたがっており、また、事案の個別性や時代の要請に対して柔軟に対応しなければなりません。

こうした対応のすべてを法律に規定するのは不可能ですので、行政法では、多くの分野で、行政に一定の裁量を認めています。

行政活動におけるこのような裁量のことを**行政裁量《ぎょうせいさいりょう》**といいます。

この章の POINT

- **行政**とは、国や地方公共団体の行うすべての活動のうち、立法と司法を除いたもののことをいう。
- 行政法というのは、**行政にかかわる法律を総称したもの**であり、行政法という名称の法律は存在しない。
- 行政法に含まれる法律は、一般に、行政《ぎょうせい》組織法《そしきほう》、行政《ぎょうせい》作用法《さようほう》、行政救済法《ぎょうせいきゅうさいほう》の三つに分けられる。
- 行政組織法は、行政組織に関する法律のことである。
- 行政作用法は、行政組織が行う行政活動について定めた法律である。
- 行政救済法は、行政活動によって不利益をこうむった国民が救済してもらうための手続やその内容について定めた法律のことである。
- 行政法は、行政に関する憲法の抽象的な規定を具体化する法律である。
- 行政法は、憲法で定められた内閣や地方自治《ちほうじち》の規定の趣旨に反する内容とすることは認められない。
- **法律による行政の原理**とは、行政権の行使を法によって拘束《こうそく》し、その適正を図ろうとする原理のことをいう。
- 行政法では、多くの分野で、行政に一定の裁量を認めており、こうした行政活動における裁量のことを**行政裁《ぎょうせいさい》量《りょう》**という。

レッスン 2 行政を担う組織にはどのようなものがあるか？

アプローチ

行政とはどのようなものであるか、イメージはつかめましたか？　続いては、行政を担う組織について学習しましょう。いろいろな機関が出てくるので、最初は混乱しがちです。あわてず、まずは大づかみにその概要を理解しましょう

1 行政主体とは何か？

❶ 行政主体とは何か？

行政主体《ぎょうせいしゅたい》とは、行政を行う権利と義務を有し、自己の名《な》と責任をもって行政行為《ぎょうせいこうい》を行う団体のことです（行政行為についてはレッスン３で説明します）。行政活動の結果や権利、義務などは、この行政主体に帰属します。

❷ 行政主体の種類

行政主体には、次のような種類があります。

- 行政主体
  - 国
  - 公共団体
    - 地方公共団体
    - 特殊法人
    - 独立行政法人

特殊法人とは、特定の事業を実施するために、特別の法律によって設けられる法人のことです。**独立行政法人**とは、従来は国が行ってきた行政活動のうち、一定のものを独立して行わせるために設立される法人のことです。独立行政法人には、国立科学博物館や造幣局などがあります。

なお、地方公共団体については、レッスン6で詳しく説明します。

2 行政機関とは何か？

1 行政機関とは何か？

行政機関とは、**行政主体に効果を帰属させるため、その手足となって現実に職務を行う機関**のことです。

行政活動は、国や地方公共団体そのものが行うわけではなく、実際には、その手足である行政機関が行政を行い、その結果が行政主体に帰属するのです。

2 行政機関の種類

行政機関には、次の6種類があります。

種　類	内　容	具体例
行政庁	行政主体のために意思を決定し、それを外部に表示する権限をもつ機関	各省大臣、都道府県知事
諮《し》問《もん》機《き》関《かん》	行政庁から諮問を受けて参考意見を述べる機関	各種審議会（法制審議会など）
参《さん》与《よ》機《き》関《かん》	行政庁の意思を法的に拘束する議決を行う機関。参与機関の議決なしに行った行政庁の行為は無効となる	電波監理審議会、労働保険審査会
監査機関	行政機関の事務や会計の処理を検査し、それが適切かどうかを監査する機関	会計検査院、地方公共団体の監査委員
執行機関	行政目的を達成するために実力を行使する機関	警察官、徴税職員
補助機関	行政庁その他の行政機関の事務を補助するため、日常的な事務を遂行する機関	副大臣、各省の事務次官

3 行政機関の権限

行政機関の権限は、法令によって定められており（**法律による行政の原理**）、各行政機関は、その権限の範囲内においてのみ活動できます。

ただし、行政機関が自らその権限を行使できなくなる場合も考えられるため（たとえば、大臣が病気になるなど）、その場合に、他の行政機関にその権限の全部または一部を委ねることが認められることがあります。これを「**権限の代行**」といいます。

権限の代行には、さらに、次の三つのものがあります。

a．権限の委任

権限の委任とは、**自己に与えられた権限の一部を他の機関に委譲《いじょう》して行わせる**ことをいいます。

権限が委任されると、委任した行政機関は、その委任した権限については、その権限を失います。そして、委任を受けた行政機関（受任機関《じゅにんきかん》）は、自己の名と責任において、その権限を行使します。

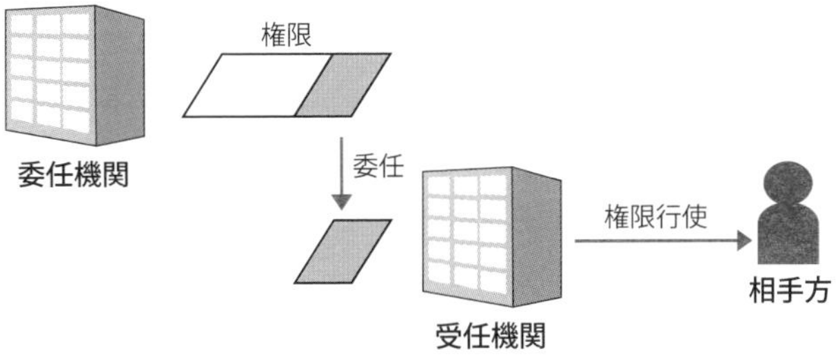

b．権限の代理

権限の代理とは、**ある行政機関が他の行政機関に代理権を与えて行使させる**ことをいいます。

権限の代理の場合、代理権を与えられた行政機関は、権限の行使を本来権限を有する行政機関の代わりに行うだけで、その権限につき、権限そのものが移転される

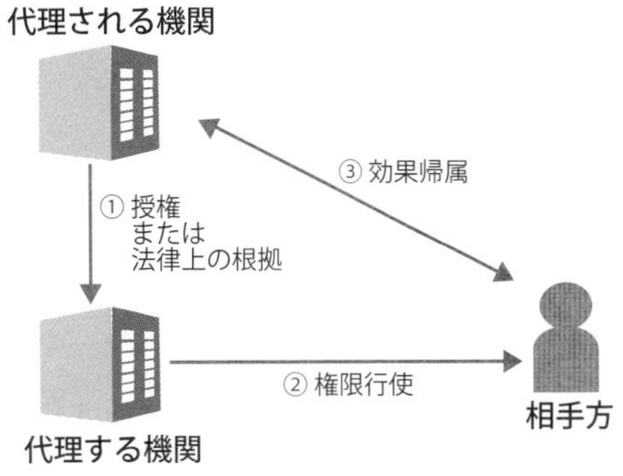

わけではありません。権限は本来その権限を有している行政機関がもっています。

c．代決（専決）

代決《だいけつ》（専決《せんけつ》）とは、**本来ならば行政機関の決裁をとるべきものについて、補助機関が決裁する**というものです。これは、行政機関の内部の関係にすぎず、外部に対しては、本来の行政機関の名前で表示がなされます。

たとえば、市役所が住民票を発行するときに、市長の印鑑を使用しますが、その発行手続そのものは職員が行っている場合などが代決に該当します。

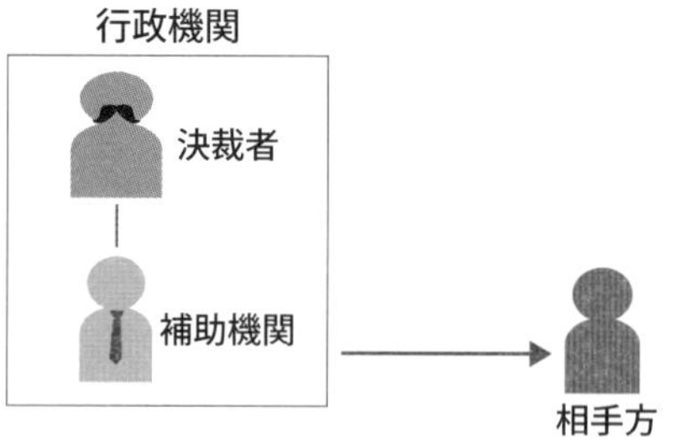

この章のPOINT

- 行政主体《ぎょうせいしゅたい》とは、行政を行う権利と義務を有し、自己の名《な》と責任をもって行政行為《ぎょうせいこうい》を行う団体のことである。
- 行政機関とは、行政主体に効果を帰属させるため、その手足となって現実に職務を行う機関のことである。
- **行政庁**は、行政主体のために意思を決定し、それを外部に表示する権限をもつ機関のことである。
- **権限の委任**とは、自己に与えられた権限の一部を他の機関に委譲して行わせることをいう。
- **権限の代理**とは、ある行政機関が他の行政機関に代理権を与えて行使させることをいう。
- **代決《だいけつ》（専決《せんけつ》）**とは、本来ならば行政機関の決裁をとるべきものについて、補助機関が決裁することをいう。

レッスン 3 行政はどのような行為を行うか？

アプローチ

行政の活動する範囲が多岐にわたるということは、行政が行う行為にもいろいろな種類があるということよね！きちんと整理するようにしなきゃ！

1 行政作用とは何か？

1 行政作用の意味

行政作用《ぎょうせいさよう》とは、**行政目的を実現するために、行政主体《ぎょうせいしゅたい》が、国民の権利利益に対して影響を及ぼす行為**のことです。すなわち、行政作用とは、行政主体の手足である行政機関が行う国民に対するはたらきかけを総称するものと理解することができます。

2 行政作用の種類

行政作用には、多種多様のものが含まれますが、大きく分けて、権力的なものと非権力的なものがあります（→レッスン1 ❷ 2 ）。また、特定の人を対象とするものと不特定の人を対象とするものとがあります。

行政作用のなかでは、特定の人に対する権力的な行政作用である行政《ぎょうせい》行為《こうい》が特に重要です。

憲法
民法
商法
行政法
基礎法学
基礎知識

2 行政行為とは何か？

1 行政行為とは？

行政行為とは、**行政機関が法に基づき、一方的に国民にはたらきかける**ことで国民の権利義務に変動を生じさせ、それによって行政目的を実現する行為のことをいいます。

行政行為は、行政機関の一方的な判断の下に（国民との合意などは一切なく）国民の権利義務の変動を生じさせるところに特徴があります。このため、行政行為を行うためには、**法律の根拠が必要**とされています（法律の留《りゅう》保《ほ》）。

2 行政行為の分類

行政行為は、一般的に、次のように分類されます。

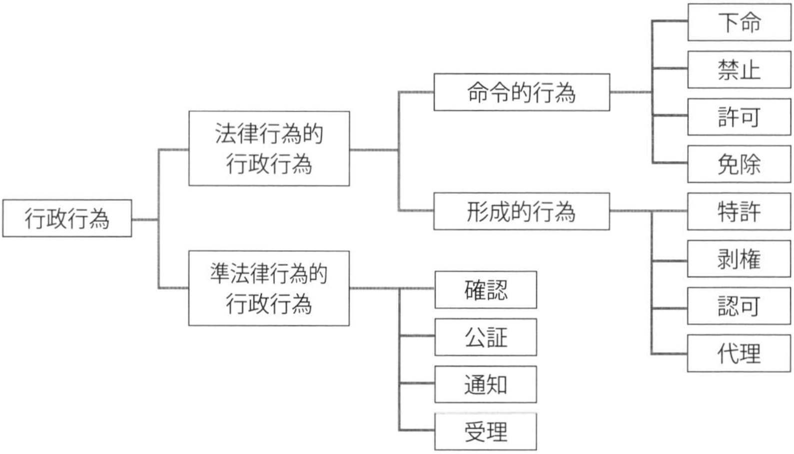

行政行為はまず、**法律行為的《ほうりつこういてき》行政行為**と**準法律行為的行政行為**とに分類できます。

法律行為的行政行為とは、**行政機関が、その意思表示によって、望んだとおりの法律効果を発生させる**行政行為です。

法律行為的行政行為は、**命令的行為**と**形成的《けいせいてき》行為**に分類されます。

命令的行為とは、**行政機関が国民に対して、本来国民が有している権利を制限したり、あるいはその制限を解除する行為**のことをいい、下命《かめい》、禁止、許可、あるいは免除がこれに該当します。

たとえば、行政機関が国民に対して税金を支払うよう命ずる課税処分は、下命の一例です。

形成的行為とは、**国民が本来有していない特別な権利や法的地位を与えたり奪ったりする行為**のことをいいます。特許、剥権《はっけん》、認可、あるいは代理がこれに該当します。

たとえば、認可の例として、農業委員会が農地の売買について行うものがあります。

これに対して、準法律行為的行政行為とは、**行政機関が判断したり、あるいは認識を示したことに対して、法律の規定により一定の効果が発生する**ことをいいます。確認、公《こう》証《しょう》、通知、受理などの行為がこれに該当します。

たとえば、通知の一種として、納税の督促《とくそく》があります。これは、税金の支払いが遅れているという事実を納税者に対して知らせるとともに、この督促に対して支払いがなされなければ強制的に徴収《ちょうしゅう》することができるという効果が法律上認められています（国税徴収法 47 条 1 項 1 号）。

〈下命の例〉

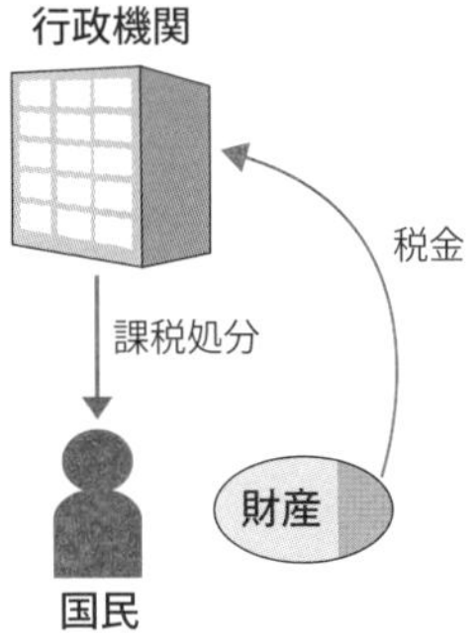

〈認可の例〉

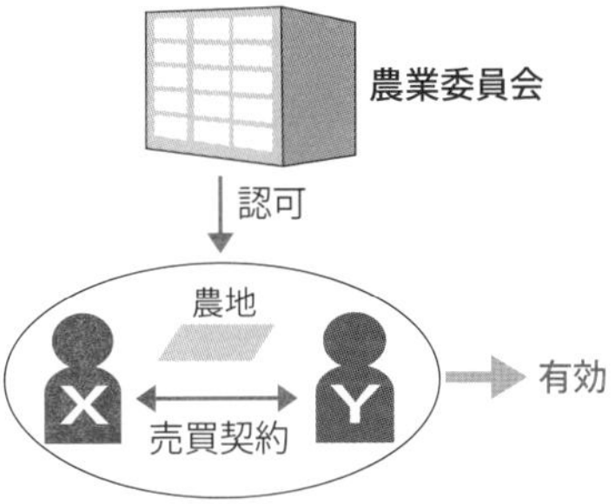

〈通知の例〉

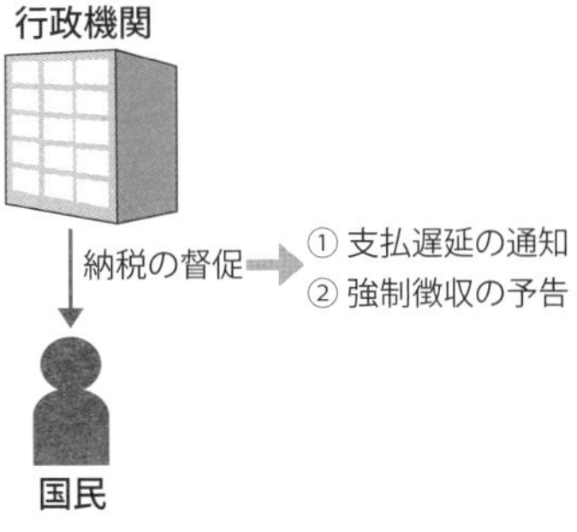

3 許可と特許

行政行為のなかでも、重要な概念として**許可**と**特許**があります。

許可も特許も、それが与えられることによってはじめて、国民が当該行為をすることができるという意味で、その効力には似た面がありますが、許可と特許では、その性質がまったく異なります。

まず、許可とは、**国民が本来自由にできるはずの活動を一般的に禁止しておき、一定の要件を満たした者に対して「許可」という形で禁止を解除する**もので、これは、法律行為的行政行為のうちの命令的行為の一つです。たとえば、営業行為（飲食店の経営など）は、国民が本来自由にできるはずですが、法は、さまざまな理由から営業行為の禁止や制限をし、一定の要件を満たして許可を受けた者のみがその営業を行うことができるという規制をしています。

これに対し、特許とは、**本来、国民に対して与えられていない権利等につき、「特許」により特別にその権利等を新たに設定する**ことをいいます。たとえば、河川や道路は、本来、個人が独占的に使用したりすることのできる性質のものではありませんが、一定の要件を満たした者に対して、その占用《せんよう》許可を与えることにより、一時的に独占して使用することができるようになります。

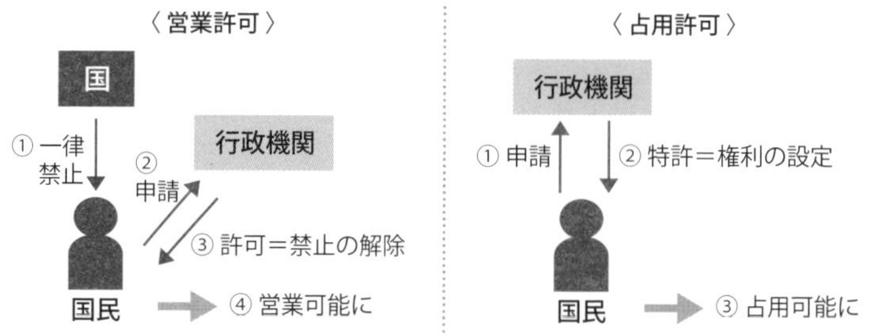

このように、許可と特許は、いずれも、それがなされることによってはじめて、国民が当該行為をすることができるようになるという効果が発生しますが、その性質はまったく異なっているといえるのです。

また、「許可」なのか「特許」なのかは、その行為の性質によって決まるのであり、法令上の文言《もんごん》によって決まるものではありません。したがって、法令上の文言としては「許可」という文言が使用されていたとしても、その性質が「特許」としての性質を有するものであれば、当該行為は、行政行為の分類としては「特許」ということになります。

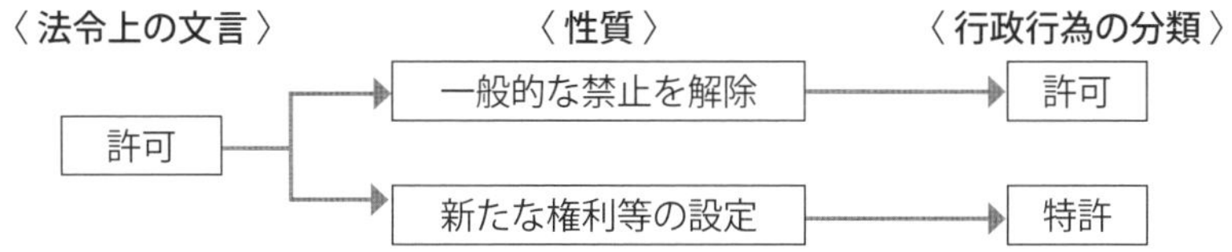

4 行政行為の効力

行政行為には、次に述べるような、私人間の契約などとは異なる効力が認められています。

拘《こう》束《そく》力《りょく》	行政行為は、その相手方だけでなく、第三者や行政主体にもその効力が及ぶというもの
公《こう》定《てい》力《りょく》	仮に違法な行政行為が行われたとしても、それが無効な行政行為でなければ、取り消されるまでは有効な行為として取り扱われるというもの
不《ふ》可《か》争《そう》力《りょく》	行政行為がなされてから一定期間が経過すると、国民は、その効力を不服申立てや取消訴訟によって争うことができなくなるというもの
自《じ》力《りき》執行《しっこう》力《りょく》	行政庁が、行政行為の内容を自力で（裁判所の判決などなく）実現することができるというもの
不《ふ》可《か》変更《へんこう》力《りょく》	行政庁自身がその行政行為の取消しや変更をすることができなくなるというもの

3 行政上の強制措置とは何か？

1 行政上の強制措置とは？

行政機関は、行政行為など、さまざまな行為によって、国民の権利に制限を加えます。これらの行為は、公益《こうえき》の実現のために行われるものですから、国民が、これらの行政機関の行為を守らなければ公益が害されます。

そこで、法は、国民が行政行為などに従わなかった場合に備え、義務などがきちんと履行されることを確保するための手段として、**行政上の強《きょう》制《せい》措《そ》置《ち》**について定めています。

2 行政上の強制措置の種類

行政上の強制措置には、次の種類があります。

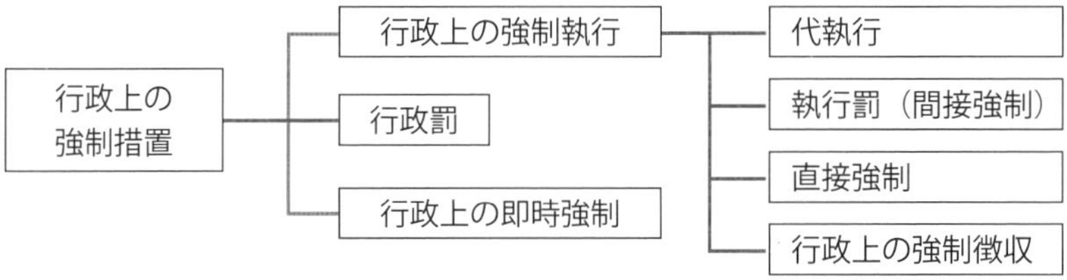

3 行政上の強制執行

行政上の強制執行《きょうせいしっこう》とは、**行政上の義務が国民によって履行されない場合に、その義務が履行された状態を行政庁が自力でつくり出す**ことをいいます。

これは、行政行為の自力執行力の表れといえます。また、この国民の義務は法律上の義務でなければならず、行政上の強制執行そのものについても法律上の根拠が必要です。

行政上の強制執行には、次の4種類がありますが、執行罰《しっこうばつ》や直接強制については、ほとんど規定はなく、行政上の作為義務や不作為義務に対する行政上の強制執行としては代執行《だいしっこう》が一般的です。代執行の要件や手続については、行政代執行法《ぎょうせいだいしっこうほう》に規定されています。

代執行	行政上の代替的作為義務《だいたいてきさくいぎむ》（一定の行為が必要とされている義務であり、他人が代わりに行うことができるもの）を義務者が履行しない場合に、行政庁が自ら行い、または第三者にこれを行わせてその費用を義務者から徴収すること
執行罰（間接強制）	非代替的《ひだいたいてき》（他人が代わりに行うことができないもの）な作為義務や不作為義務が履行されない場合に、行政庁が、一定の期限内に義務の履行がなされないときは過料《かりょう》（→4）を科す旨《むね》を予告し、義務者に心理的な圧迫を加えて間接的に義務の履行を強制すること
直接強制	義務者が義務を履行しない場合に、行政庁が直接義務者の身体や財産に強制力を加えて義務の内容を実現すること
行政上の強制徴収	義務者が金銭の納付義務を履行しない場合に、行政機関が強制的に義務者の財産から徴収すること

④ 行政罰

行政罰《ぎょうせいばつ》とは、**行政上の義務違反行為に対して科される罰則**のことをいいます。行政罰は罰則ですので、法律（地方公共団体の条例でもよい）の根拠がなければ科すことはできません。

行政罰は、過去の行政上の義務違反に対して制裁を科すものであり、強制的な義務の実現を目指す行政上の強制執行とは、その目的が異なります。

行政罰には、行政刑罰と秩序罰《ちつじょばつ》の二つの種類があります。

	意　義	種　類
行政刑罰	行政上の義務違反を犯罪として処罰する際に科される刑罰のこと	懲役、禁錮《きんこ》、罰金、拘留《こうりゅう》、科《か》料《りょう》
秩 序 罰	犯罪に至らない軽微な行政上の義務違反に対して科される罰のこと	過料（金銭を支払わせる罰則）

行政刑罰は、刑罰ですので、刑事裁判を経たうえで科されます。

⑤ 行政上の即時強制

行政上の即時強制《そくじきょうせい》とは、あらかじめ義務を命ずる余裕がない、目前に差し迫った障害を取り除くために、直接国民の財産や身体に実力を行使し、行政上必要な状態を実現させることをいいます。警官による泥酔者の保護や、火事の拡大を防ぐために風下の家屋を破壊する行為などが典型的な例です。

行政上の強制執行と行政罰が行政上の義務の不履行を前提とするのに対して、行政上の即時強制は行政上の義務の不履行を前提としない点が大きな違いです。

この章の POINT

- 行政作用《ぎょうせいさよう》とは、行政目的を実現するために、行政主体《ぎょうせいしゅたい》が、国民の権利利益に対して影響を及ぼす行為のことである。
- 行政作用には、大きく分けて、権力的なものと非権力的なものがあり、また、特定の人を対象とするものと不特定の人を対象とするものとがある。
- **行政行為**《ぎょうせいこうい》とは、行政機関が法に基づき、一方的に国民にはたらきかけることで、国民の権利義務に変動を生じさせ、それによって行政目的を実現する行為のことをいう。
- 行政行為は、法律行為的《ほうりつこういてき》行政行為と準法律行為的行政行為とに分類できる。
- 法律行為的行政行為とは、行政機関が、その意思表示によって、望んだとおりの法律効果を発生させる行政行為であり、命令的行為と形成的《けいせいてき》行為に分類される。
- 準法律行為的行政行為とは、行政機関が判断したり、あるいは認識を示したりしたことに対して、法律の規定により一定の効果が発生することをいう。
- 行政行為には、**拘束力**《こうそくりょく》、**公定力**《こうていりょく》、**不可争力**《ふかそうりょく》、**自力執行**《じりきしっこう》**力**《りょく》および**不可変更力**《ふかへんこうりょく》が認められている。
- 行政上の強制執行《きょうせいしっこう》とは、行政上の義務が国民によって履行されない場合に、その義務が履行された状態を行政庁が自力でつくり出すことをいう。
- 行政罰《ぎょうせいばつ》とは、行政上の義務違反行為に対して科される罰則のことをいう。
- 行政上の即時強制《そくじきょうせい》とは、あらかじめ義務を命ずる余裕がない、目前に差し迫った障害を取り除くために、直接国民の財産や身体に実力を行使し、行政上必要な状態を実現させることをいう。

レッスン 4 行政手続に関するルールとは？

アプローチ

1 行政手続法とはどのような法律か？

1 行政手続法とは？

行政手続法は、行政を行う際の手続について定めた法律です。行政は、国家権力の行使であるため、国民の権利等に対して多大な影響を与える可能性があります。そこで、**行政を行う際の事前手続についての一般的な原則**等を定めた行政手続法が定められています。

2 行政手続法の目的

行政手続法の目的は、行政処分《ぎょうせいしょぶん》等をする前の段階の手続をできるだけ**公正かつ透明**なものにして、**国民の権利や利益を保護**することです（行政手続法 1 条）。

❸ 行政手続法の対象

行政手続法の対象とされるものは、次のとおりです。

- 処　分
  - ① 申請に対する処分
  - ② 不利益処分
- 行政指導
- 届　出
- 命令等
  - ① 法律に基づく命令または規則
  - ② 審査基準
  - ③ 処分基準
  - ④ 行政指導指針

ただし、地方公共団体の行う措置などについては、全国一律ではなく、各地域の特性に応じた対応などが必要とされる場合も多くあるため、行政手続法は適用されません（行政手続法３条３項）。

❹ 行政手続法の内容

ここでは、主要な適用対象について、行政手続法の内容を概説します。

a．申請に対する処分

申請《しんせい》とは、**法令に基づき、行政庁の許可など自己に対し何らかの利益を付与する処分を求める行為であって、行政庁が諾否《だくひ》の応答をしなければならないとされている**ものをいいます（行政手続法２条３号）。

この申請に対して行政庁の行う処分を**申請に対する処分**といいます。

申請に対する処分につき、行政手続法は、① 標準処理期間《ひょうじゅんしょりきかん》以内の処理に努めること、②審査基準《しんさきじゅん》を定めること、③申請が到達したことで審査義務が発生すること、④拒否処分《きょひしょぶん》をする場合には処分の理由を示すこと、などの規定を置いています。

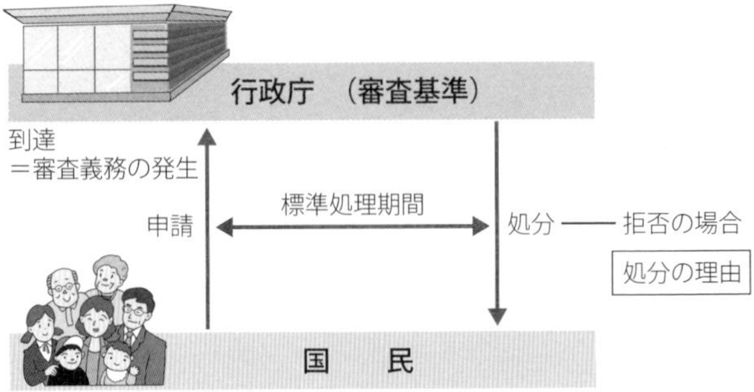

b．不利益処分

不利益処分《ふりえきしょぶん》とは、**行政庁が、法令に基づき、特定の者に対して、直接、義務を課し、あるいは権利を制限する内容の処分**のことです（行政手続法２条４号）。

不利益処分を行う場合には、適正な手続で行う要請が強いため、行政手続法では、①処分《しょぶん》基《き》準《じゅん》を定めるよう努めること、②不利益処分を課される者に対して意《い》見陳述《けんちんじゅつ》の機会を与えること、③原則として処分の理由を提示すること、などの規定を置いています。

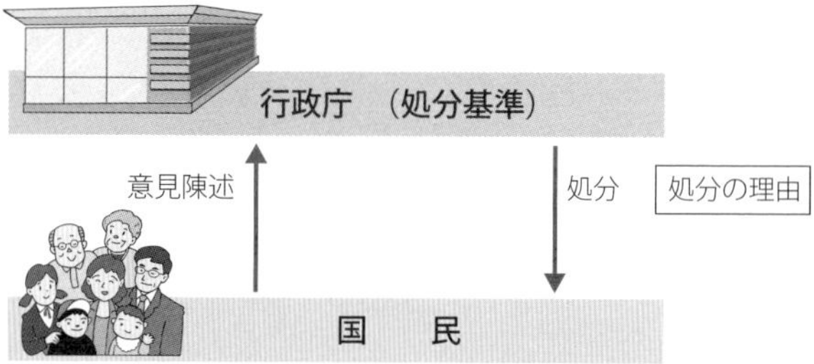

c．行政指導

行政《ぎょうせい》指導《しどう》とは、**行政機関がその取扱《とりあつかい》業《ぎょう》務《む》等に関し、特定の者に対して指導、勧告《かんこく》、助言などを行う**ものです（行政手続法２条６号）。

行政指導は、相手方に対して任意の協力を求めるにすぎず、それ自体、法的には何らの効力も認められないのが原則です。しかし、従来、行政指導によって、たとえば、申請を取り下げさせたり、許認《きょにん》可《か》の更新などに際して、指導に従わなければ更新を認めないかのような態度を示して、事実上、相手方を指導に従わせたりして、国民の権利等が制限されることがありました。そこで、行政手続法では、行政指導の方法等について制限するなどして、一定の規律を定めています。

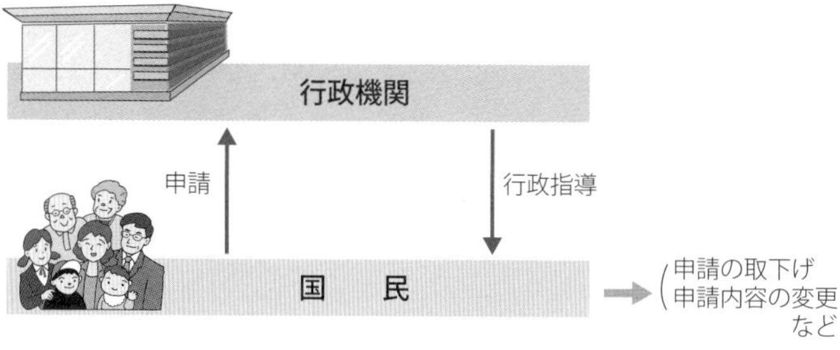

d．命令等を定める手続

内閣や行政機関が定める、法律に基づく命令や規則などを行政手続法では**命令等**と総称しています（行政手続法２条８号）。

行政手続法では、命令等を定めようとする場合には、一定の例外を除き、原則として、**意《い》見《けん》公《こう》募《ぼ》手《て》続《つづき》**をとらなければならないとしています。

意見公募手続とは、広く国民に意見を募《つの》り、これを命令等の制定に役立たせる趣旨で定められた手続です。一般にパブリックコメントといわれています。

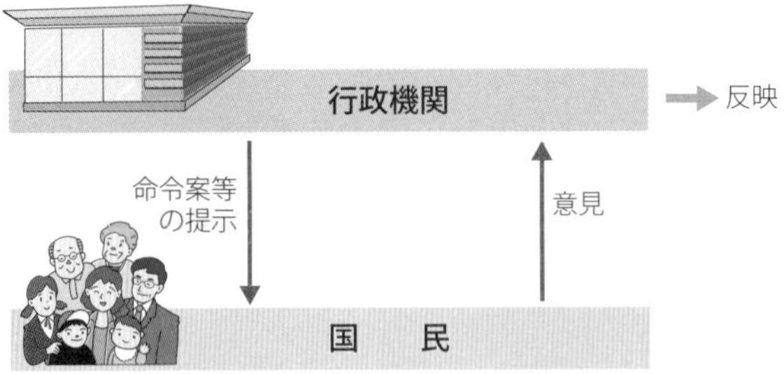

2 情報公開法はどのような法律か？

1 情報公開法とは？

行政機関の保有する情報の公開に関する法律（情報公開法）は、国民が、行政機関の保有する情報のうち、自分の知りたい情報について開示《かいじ》するよう請求することを認める法律です。

また、多くの地方公共団体（都道府県と政令指定都市についてはすべて）では、**情報公開条例**《じょうほうこうかいじょうれい》を定めて、地方公共団体の保有する情報の公開に努めています。

2 情報公開法の目的

情報公開法では、**何人**《なんぴと》**も、行政機関の長**《ちょう》**に対して、その保有する情報を開示することを請求することができる**と定めています（情報公開法3条）。

行政は国民の税金で運営されており、行政機関が保有する情報は国民の共有財産といえます。したがって、それが国民に公開されるのは当然のことですし、それによって、国民が情報の保有について行政機関と対等な立場に立つことができるのです。

また、国民の負託《ふたく》に対する適正な行政を行っているということを行政機関は国民に説明しなければなりません。そして、その説明は、情報によってきちんと裏づけされる必要があります。

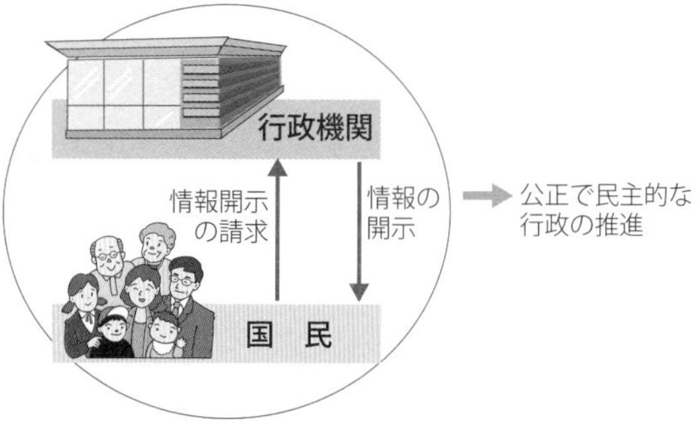

以上の点から、公正で民主的な行政の推進のために、情報公開が重要な役割を果たすと考えられているのです。

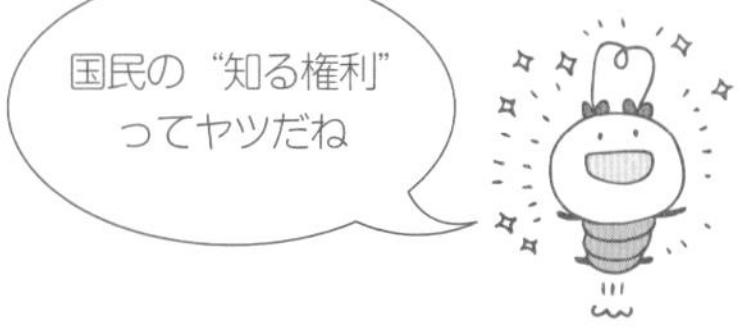

この章の POINT

- 行政手続法は、行政を行う際の手続について定めた法律である。
- 行政手続法の目的は、行政処分《ぎょうせいしょぶん》等をする前の段階の手続をできるだけ公正かつ透明なものにして、国民の権利や利益を保護することにある。
- 行政手続法の対象とされるものは、処分、行政指導《ぎょうせいしどう》、届出および命令等である。
- **申請《しんせい》**とは、法令に基づき、行政庁の許可など自己に対し何らかの利益を付与《ふよ》する処分を求める行為であって、行政庁が諾否《だくひ》の応答をしなければならないとされているものをいう。
- **不利益処分《ふりえきしょぶん》**とは、行政庁が、法令に基づき、特定の者に対して、直接、義務を課し、あるいは権利を制限する内容の処分のことをいう。
- **行政指導**とは、行政機関がその取扱業務《とりあつかいぎょうむ》等に関し、特定の者に対して指導、勧告《かんこく》、助言などを行うものをいう。
- 内閣や行政機関が定める、法律に基づく命令や規則などを行政手続法では命令等と総称する。
- 情報公開法は、何人も、行政機関の保有する情報のうち、自分の知りたい情報について開示《かいじ》することを請求することができるとした法律である。

レッスン 5

憲法→民法→商法→行政法→基礎法学→基礎知識

行政に関するトラブルの解決方法は？

アプローチ

1 行政救済とは何か？

行政活動が違法もしくは不当《ふとう》であった場合、国民の権利利益に対する侵害が生じるので、それを救済する制度が必要となります。このような行政活動から国民を救済する制度には、次のようなものがあります。

- 行政救済
  - 行政機関による救済制度
    - 行政不服審査
  - 裁判所による救済制度
    - 行政事件訴訟
    - 国家賠償
    - 損失補償

上記の制度のうち、行政不服審査《ぎょうせいふふくしんさ》と行政事件訴訟《ぎょうせいじけんそしょう》は、違法もしくは不当な**行政処分《ぎょうせいしょぶん》自体の取消《とりけ》し**によって救済を図ろうとするものであるのに対し、国家賠償《こっかばいしょう》と損失補償《そんしつほしょう》は、当該行政処分の効力自体を争うのではなく、その行政処分によって発生した損害を**金銭で賠償**させることによって救済を図ろうというものです。

2 行政不服審査法とはどのような法律か？

1 行政不服申立てとは？

行政不服審査法《ぎょうせいふふくしんさほう》が定める行政不服申立《ぎょうせいふふくもうした》てとは、**行政庁の処分などに対して不服がある者が、行政機関に対して不服を申し立て、その違法または不当の有無を審査してもらい、違法または不当な行為があった場合にはその是正《ぜせい》や排除《はいじょ》を請求する手続**のことです。

違法な行政処分等に対する不服申立ての手段として、裁判所に対する訴訟提起も可能であり、そのための制度も整えられています。しかし、行政機関に対する行政不服申立ては、裁判に比べると、時間も早く、費用も安く済みます。また、行政機関により判断されるため、その処分が違法であったかという点にとどまらず、**不当性についても判断を受けることができる**というメリットがあります。

他方で、行政機関が行った行政処分等をいわば身内である行政機関が判断することから、中立で公正な判断がされるかという懸念はあります。

2 行政不服申立ての対象

行政不服審査の対象は、行政庁の「処分」と「不作為《ふさくい》」に限定されています。

処分とは、**行政庁が法令に基づき、その優越的立場において、国民に対し権利を設定あるいは義務を課すなど具体的な法律上の効果を発生させる**ものをいいます。行政行為がその典型的なものですが、事実行為も含まれます。不作為とは、**行政庁が、法令に基づく申請《しんせい》などに対し何らかの処分をしなけれ**

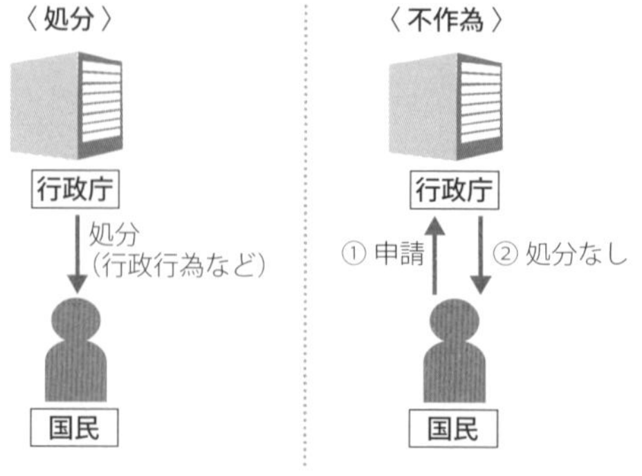

ばならないのに、何らの処分もしないことをいいます。

行政不服審査法上の行政不服申立ての手続には、審《しん》査《さ》請求《せいきゅう》、再調査の請求、再審査請求の三つがありますが、このうち中心となるのは**審査請求**という手続です。以下では、審査請求を中心に説明します。

3 審査請求の手続

審査請求とは、行政庁の処分や不作為につき、審査庁に対して不服を申し立てる手続のことです。

審査請求手続の概要は、次のとおりです。

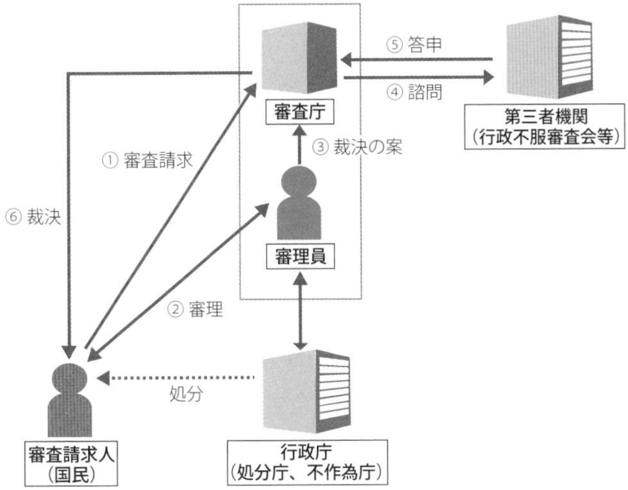

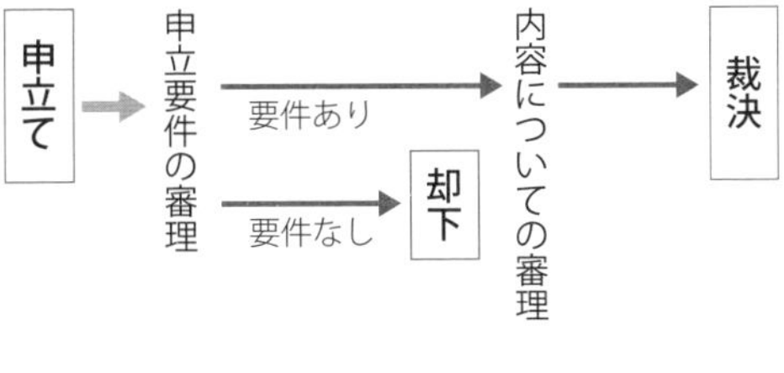

a．申立要件の審理

審査請求をする場合、まず問題となるのは、当該審査請求が要件を備えているかということです。**審査請求の要件**は、次のとおりです。

① 行政庁の処分または不作為があること
② 審査請求をする権限を有する者によって審査請求がなされていること
③ 権限を有する行政庁に対して審査請求がなされていること
④ 審査請求の形式と手続が守られていること
⑤ 審査請求期間内になされていること

b．審理（審査請求の内容に関する審理）

審査請求の審理《しんり》は、原則として、問題となっている処分や不作為に係《かか》る処分に関与していない職員のなかから指名された**審理員**が行います。審理の手続は、審理員の職権《しょっけん》により進められ、また、書面審理で行われます。証拠調べについても、原則として審理員の職権によって進められます。

ただし、審査請求人《しんさせいきゅうにん》または参加人《さんかにん》（審査庁の許可を得て審査請求の手続に参加する利害関係人）の申立てがあった場合には、その申立人《もうしたてにん》に、**口頭で意見を述べる機会**を与えなければなりません。

なお、審理員は、審査請求書の写し等を処分庁等に送付し、処分庁等から弁明書《べんめいしょ》の提出を受けることによって、処分庁等の言い分も聴きます。

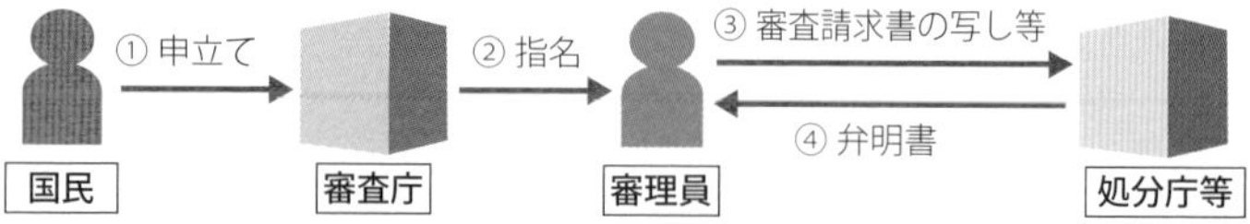

c．諮問

審査庁は、審理員が審理の結果作成した審理員意見書の提出を受けると、これを**行政不服審査会等の第三者機関**に諮問《しもん》しなければなりません。第三者機関からの答申を受けて、審査庁は、裁決を行います。

d．裁決

裁決《さいけつ》とは、**審査請求に対して審査庁が判断を出す**こと、あるいは**その出された判断の結果**のことをいいます。

審理手続は、通常、審査請求人による審査請求の取下げ、または裁決によって終了します。

裁決には、次の4種類があります。

却下《きゃっか》裁決	審査請求が、審査請求要件を欠いて不適法であるとき、本案審理《ほんあんしんり》に入ることを拒否する裁決
棄却《ききゃく》裁決	審査請求に理由がないとしてその審査請求を退ける裁決
事情裁決	審査請求に理由があると認められるが、処分を取り消すことにより公《おおやけ》の利益に著しい障害を生ずる場合に、一定の要件の下に請求を棄却する裁決 この場合、当該処分が違法または不当であることを宣言する必要がある
認容《にんよう》裁決	審査請求に理由がある場合に、その審査請求を認容する裁決

なお、行政庁の処分につき法律に再審査請求をすることができる旨の定めがある場合には、当該処分についての審査請求の裁決に不服がある者は、**再審査請求**をすることができます。

4 教示制度

教示《きょうじ》制度とは、**行政庁から国民に対して不服申立ての方法等について教える制度**のことです。不服申立ての制度があっても、国民がその存在や利用方法を知らなければ意味がないため、教示制度が設けられています。

すなわち、行政庁が、不服申立てをすることができる処分をする場合には、その相手方に対し、当該処分につき、①不服申立てをすることができる旨、②不服申立てをすべき行政庁、③不服申立てをすることができる期間を、書面により教示しなければなりません（処分そのものを口頭で行う場合を除きます）。

3 行政事件訴訟法とはどのような法律か？

1 行政事件訴訟法とは？

行政《ぎょうせい》事件《じけん》訴訟《そしょう》とは、**行政に関する争いについての裁判**のことです。

行政不服審査は、時間や費用がかからない、処分の不当性についても審査を受けられるなどのメリットがありますが、行政庁の処分の適否などを判断するのが、いわば身内である行政庁であるため、不公平な判断がなされるなどして救済が不十分になる危険性があります。そこで憲法は、そのような危険性を考慮して行政機関がその適法性についての最終判断をする権限を与えず（憲法 76 条 2 項)、裁判所が行政処分の適法性について判断することにしています。

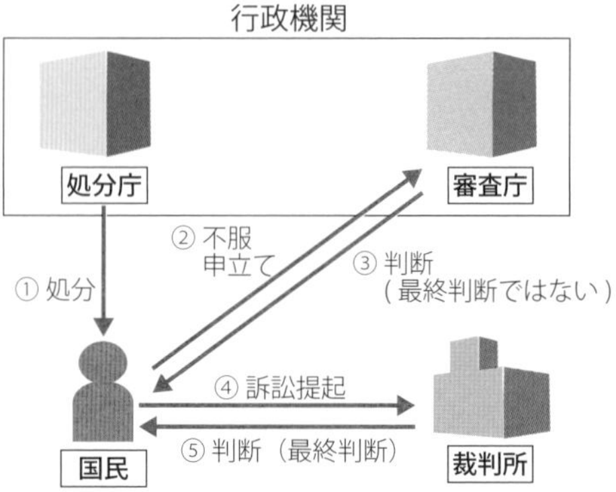

そして、この行政事件訴訟は、一般の私人間の争いである民事訴訟とは異なる特徴などを有しているため、その手続を定める**行政事件訴訟法**が制定されています。この行政事件訴訟法は、民事訴訟の手続を定めた民事訴訟法の特則《とくそく》にあたると考えられており、行政事件訴訟法の規定のない事項については、民事訴訟法の規定が適用されます（行政事件訴訟法 7 条)。

2 行政事件訴訟の種類

行政事件訴訟法の定める行政事件訴訟の種類は、次の表のとおりです。以下では、行政事件訴訟のうちの大半を占める取消《とりけし》訴訟《そしょう》について説明します。

		意　義／分　類
主観訴訟		国民の個人的な権利利益の保護を目的とする訴訟 裁判所法３条１項の「法律上の争訟」に該当する
	抗告訴訟	行政庁の公権力の行使に関する不服の訴訟（３条１項） ・取消訴訟－処分取消訴訟（３条２項） 　　　　　　裁決取消訴訟（３条３項） ・無効等確認訴訟（３条４項） ・不作為の違法確認訴訟（３条５項） ・義務付け訴訟（３条６項） ・差止め訴訟（３条７項）
	当事者訴訟	行政側と国民とが対等の当事者の立場で互いの権利義務をめぐって争う訴訟（４条） ・形式的当事者訴訟 ・実質的当事者訴訟
客観訴訟		原告の個人的な権利利益とは無関係に、客観的な法秩序を維持するために、行政作用の適法性を担保することを目的とする訴訟 裁判所法３条１項の「法律上の争訟」に該当しない 法律に定められている場合に、法律が定める者に限り訴訟を提起できる（42条）
	民衆訴訟	国または公共団体の機関による法規に適合しない行為の是正を求める訴訟で、選挙人たる資格その他自己の法律上の利益にかかわらない資格で提起するもの（５条）
	機関訴訟	国または公共団体の機関相互間における権限の存否またはその行使に関する紛争についての訴訟（６条）

3 取消訴訟

a．取消訴訟とは

取消訴訟とは、**行政行為その他の行政庁の公権力の行使により不利益を受けた者が、その違法を主張して取消しを求め、侵害された自由、財産の回復を図ることを目的とする訴訟**です。

b．取消訴訟の対象

取消訴訟の対象となるのは、処分と裁決です。

処分とは、**行政庁の処分その他公権力の行使にあたる行為**をいい、行政作用における行政行為とほぼ同じです。

裁決とは、**審査請求その他の不服申立てに対する行政庁の裁決その他の行為**のことです。

c．取消訴訟提起の要件

取消訴訟を提起するための要件は、次のとおりです。

① 行政庁の処分、裁決または決定（処分等）が存在すること
② 原告適格《げんこくてきかく》（取消訴訟を提起できる資格）があること → 原則として、不利益処分を受けた相手方、または実質的にみれば処分等の相手方と同視できる者をいう
③ 訴えの利益（処分等が取り消された場合に、現実に法律上の利益が回復されること）があること
④ 出訴期間《しゅっそきかん》（原則として処分等があったことを知った日から６か月）内に訴訟が提起されたこと
⑤ 被告適格《ひこくてきかく》があること → 行政事件訴訟法では、原則として、取消訴訟は処分等をした行政庁が所属する国または公共団体を被告とすべきとしている
⑥（審査請求前置《しんさせいきゅうぜんち》の場合）審査請求に対する裁決を経たこと → 審査請求前置とは、訴訟を提起する前に審査請求を経なければならないと特別法により規定されている場合のことである

d．審理の対象

取消訴訟で審理の対象となるのは、当該処分等が適法なものであるか否かです。行政不服申立ての場合と異なり、**処分等の不当性については審理の対象とはなりません**。

e．取消訴訟の判決

判決とは、**訴えに対する裁判所の裁断行為《さいだんこうい》**のことをいいます。判決の種類には、次のものがあります。

<table>
<tr><td>却下判決</td><td colspan="2">訴えが訴訟要件を欠いており、その不備を正《ただ》すことができない場合に、訴えを不適法として却下する判決のこと
→ 却下判決の場合には、処分の違法性については何ら判断されない</td></tr>
<tr><td rowspan="3">本案《ほんあん》判決</td><td>認容判決</td><td>処分等の取消しを求める請求に理由があると認め、処分を取り消す判決のこと</td></tr>
<tr><td>棄却判決</td><td>処分等の取消しを求める請求に理由がないとしてこれを排斥する判決のこと</td></tr>
<tr><td>事情判決</td><td>処分等が違法であるが、これを取り消すことが公共の福祉に適合しないと認められる場合に、請求を棄却する判決のこと
→ 判決の主文（結論部分）に処分等が違法であることの宣言をしなければならない</td></tr>
</table>

4 その他の行政救済にはどのようなものがあるか？

1 国家賠償法

公務員の不法行為によって国民が受けた損害を国や公共団体が賠償する制度のことを国家賠償《こっかばいしょう》制度といいます。**国家賠償法**は、この国家賠償制度が適用される場合について定めた法律です。

国家賠償法においては、公務員が**不法行為**を行った場合に、その不法行為を原因として国民に発生した損害については、国や公共団体に賠償責任を負わせていますが、この場合、国民は、公務員個人に対して損害賠償請求をすることはできないとされています（もっとも、不法行為を行った公務員は、損害賠償責任を負担した国や公共団体から求償《きゅうしょう》されることはあります）。

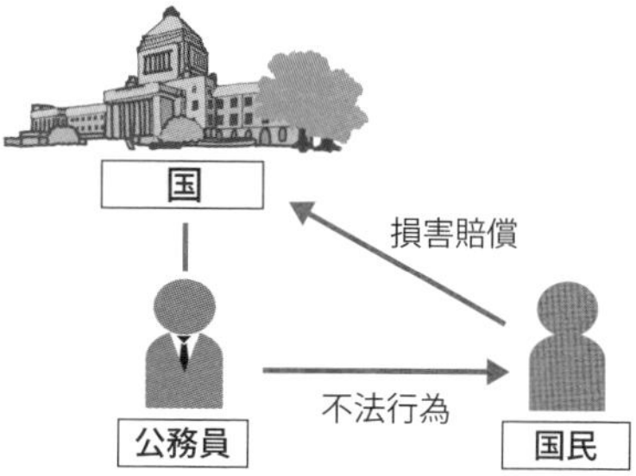

また、国家賠償法では、**公の営造物《えいぞうぶつ》の設置または管理の瑕疵《かし》**に基づいて発生した損害につき、国または公共団体に賠償責任を負わせています。

公の営造物とは、国や公共団体が公用または公共の用に供しているもののことで、具体的には、河川などの自然公物《こうぶつ》や道路などの人工公物などがあります。設置または管理の瑕疵とは、営造物が通常有すべき安全性を欠いていることです。

この公の営造物の設置または管理の瑕疵に基づく責任は**無過失責任《むかしつせきにん》**、すなわち、管理者に過失がなくても負う責任とされています。

2 損失補償制度

損失補償《そんしつほしょう》とは、**国または公共団体の適法な活動によって生じた損失を補償する制度**です。

損失補償について定めた法律はありませんが、判例は、「私有財産は、正当な補償の下に、これを公共のために用ひることができる」とする憲法29条3項に基づき、直接損失補償を請求することができるとしています。

この章の POINT

- 行政救済とは、行政活動が違法もしくは不当《ふとう》であった場合、国民の権利利益に対して生じた侵害につき、国民を救済する制度である。
- **行政《ぎょうせい》不服《ふふく》申立《もうした》て**とは、行政庁の処分などに対して不服がある者が、行政機関に対して不服を申し立て、その違法または不当の有無を審査してもらい、違法または不当な行為があった場合にはその是正《ぜせい》や排除《はいじょ》を請求する手続である。
- 行政《ぎょうせい》不服《ふふく》審査《しんさ》の対象は、行政庁の「処分」と「不作為《ふさくい》」に限定されている。
- 審査《しんさ》請求《せいきゅう》とは、行政庁の処分や不作為につき、審査庁に対して不服を申し立てる手続のことである。
- 教示《きょうじ》制度とは、行政庁から国民に対して不服申立ての方法等について教える制度のことである。
- **行政《ぎょうせい》事件《じけん》訴訟《そしょう》**とは、行政に関する争いについての裁判のことである。
- 取消《とりけし》訴訟《そしょう》とは、行政行為その他の行政庁の公権力の行使により不利益を受けた人が、その違法を主張して取消しを求め、侵害された自由、財産の回復を図ることを目的とする訴訟である。
- 取消訴訟で審理の対象となるのは、当該処分等が適法なものであるか否かであり、行政不服申立ての場合と異なり、処分等の不当性については審理の対象とはならない。
- 公務員の不法行為によって国民が受けた損害を国や公共団体が賠償する制度のことを**国家《こっか》賠償《ばいしょう》制度**という。
- **損失《そんしつ》補償《ほしょう》**とは、国または公共団体の適法な活動によって生じた損失を補償する制度である。

レッスン 6 地方の行政はどのように行われるか？

アプローチ

今まで行政法を勉強してきましたけど、なぜこれと別に地方自治の制度が設けられているんですか？　全国一律の制度でもいいような気がするんですけど……

憲法は、中央への権力集中を抑制するため、地方自治を制度として保障しているのです。地方自治の重要性を表す言葉として、「地方自治は民主主義の小学校である」といわれることもあるんですよ

1 地方自治法はどのような法律か？

1 地方自治法の目的

地方自治法《ちほうじちほう》は、地方公共団体の区分や組織、運営、国との関係などについて定めた法律です。

憲法では、地方自治を憲法上の基本的な統治機構の一部として位置づけ、地方公共団体の組織と運営は「**地方自治の本旨**《ほんし》」に基づいて法律で定めると規定しています（憲法 92 条）。この規定に基づいて制定されている法律が地方自治法です。

住民自治《じゅうみんじち》	地方行政がその住民の意思に基づいて行われるという、民主主義的な要素を基礎とする制度
団体自治《だんたいじち》	地理的環境や生活環境などを共通とする一定の地域が、国から独立して地域一体となって地域の実情に合った行政を実施していくという自由主義的な要素を基礎とする制度

2 地方公共団体の種類

地方公共団体とは、一定の地域とそこに住む住民を構成要素とし、その地域に関連する公共的役務《こうきょうてきえきむ》を実施する地域共同体であって、その地域の住民および滞在者に対し、包括的《ほうかつてき》な支配権を有する団体のことです。

地方公共団体は、次のように分類されます（地方自治法１条の３）。

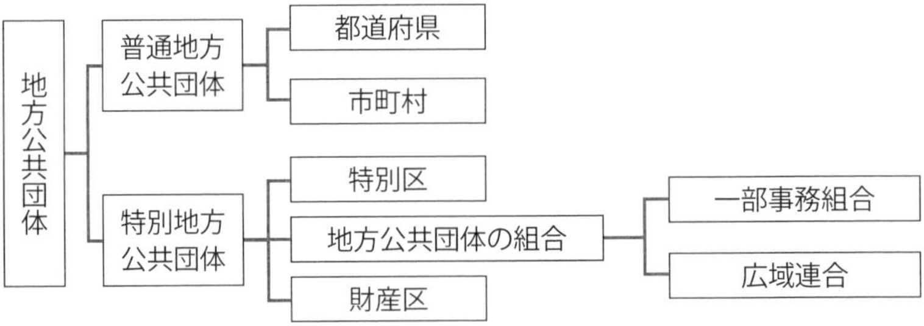

このうち、**普通地方公共団体**とは、**市町村**と**都道府県**のことです。

市町村は、**住民の日常生活に必要な公共役務を提供する基礎的な地方公共団体**のことです。

都道府県とは、**市町村を包括する広域的な地方公共団体**のことです。都道府県は、広域にわたる事務、市町村に関する連絡調整に関する事務、およびその規模や性質などから市町村が処理することが適当でないと認められる事務などを処理します。

市町村と都道府県の間の事務分配については、市町村が実施できる事務は原則として市町村が行うという**市町村優先の原則**があります。

3 住民の権利

a．選挙権および被選挙権

選挙権は、**選挙人となるための資格**のことで、**日本国民**である**満 18 歳以上の者**で、**引き続き３か月以上市町村の区域内に住所を有する者**に与えられます（地方自治法 18 条）。その住所を有する、普通地方公共団体および特別区の議会の議員、長《ちょう》の選挙権を有します（地方自治法 17 条）。

被選挙権とは、**公職の選挙において候補者となり、当選人となりうる資格**のことです。住所を有する普通地方公共団体および特別区の長、議員への立候補ができるほか、都道府県知事と市町村の長については、他の都道府県ないし市町村の長への立候補も可能とされています。

b．直接請求

直接請求とは、**住民が一定の事項について、議員等を通じてではなく直接地方公共団体の担当機関に対して請求することができる**ものをいいます。

直接請求の種類は、次のように分類されます。

署名数による区分	種　類	請求先
有権者の1/50以上の連署《れんしょ》	条例《じょうれい》の制定、改廃《かいはい》請求	地方公共団体の長
	事務の監査請求	監査委員
有権者の1/3以上の連署	議会の解散請求	選挙管理委員会
	議員の解職請求	
	長の解職請求	
	役員の解職請求	地方公共団体の長

2 地方公共団体の機関にはどのようなものがあるか？

1 普通地方公共団体の議会

普通地方公共団体には、意思決定《いしけってい》をして活動するための機関として**議会**が置かれます（地方自治法89条）。

国の場合には、国会が最高機関として位置づけられていますが、地方公共団体の場合、その長も住民の**直接選挙**により選ばれるため（憲法93条）、議会と長とは対等の関係に立つとされています。

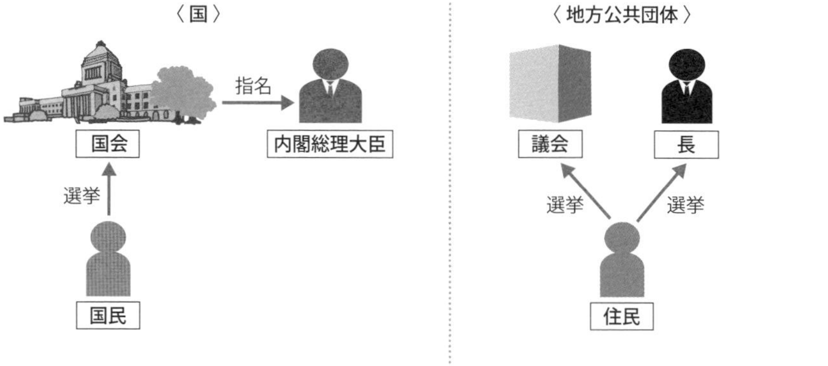

議会は、**条例**を制定・改廃し、**予算**を定め、**決算**を認定することができます（地方自治法 96 条）。

2 普通地方公共団体の執行機関

普通地方公共団体には、執行機関《しっこうきかん》（普通地方公共団体の事務を管理し、執行する機関）として、長《ちょう》、行政委員会および行政委員があります。

a．長（都道府県知事、市町村長）

普通地方公共団体の長には、以下の権限が与えられています。

統括権および代表権	当該普通地方公共団体を統括し、これを代表する
事務の管理および執行権	当該普通地方公共団体の事務を管理し、執行する 長の担任する事務は、地方自治法 149 条に例示列挙されている
規則制定権	法令に違反しない限りにおいて、その権限に属する事務に関し、規則を制定することができる

普通地方公共団体の長と議会は、前述のとおり対等な関係にあり、それぞれが独立して住民に責任を負いながら、職務を行う必要があります。

そのため、長と議会との意見が分かれた場合には、それを調整するため、①長には、議会の議決に対する付再議権《ふさいぎけん》（**拒否権；再度議決に付することを要求する権利**）が認められ、②議会には、長に対する**不信任議決権**《ふしんにんぎけつけん》および**人事に対する同意権**などが与えられています（地方自治法 176 条以下）。

b．行政委員会、行政委員

行政委員会、行政委員とも、長から独立した立場で、事務を管理し執行する機関として認められたものです。その中立性の確保や専門的知識の確保の必要性などから、長から独立したものとして置かれています。

行政委員会には、**教育委員会**、**選挙管理委員会**、**公安委員会**などがあります。

3 地方公共団体の権能とは？

1 地方公共団体の事務

地方公共団体の行う事務は、自治事務《じちじむ》と法定受託事務《ほうていじゅたくじむ》とに分けられます。

自治事務とは、**地方公共団体独自の事務のことであり、法定受託事務以**

外の事務をいいます（地方自治法２条８項）。これに対し、法定受託事務とは、**国（または都道府県）が本来果たすべき役割を負う事務でありながら、その適正な処理の確保のため法令により特に地方公共団体にその処理が委託される事務**のことをいいます（地方自治法２条９項）。

2 条例および規則の制定

地方公共団体は、**法律の範囲内**で条例《じょうれい》および規則《きそく》を制定することができます（憲法 94 条、地方自治法 14 条・15 条）。

地方公共団体は、法律に基づき行政の任にあたっていますが、法律は、全国一律の基準で規制をしているのが一般的であり、その内容によっては、当該地方の実情などに即していないことが想定されます。そこで、その地域の実情に合わせた規制をするなどの必要性から、地方公共団体に条例および規則の制定権が認められているのです。

条例が法律に抵触《ていしょく》するかどうかは、形式的な文言《もんごん》によって決められるのではなく、その規制の趣旨などから実質的に判断されます。そのため、国が定めた基準よりも厳しい基準を設けた**上乗《うわの》せ条例**や国が定めていない部分についても規制をする**横出《よこだ》し条例**なども認められることがあります。

（条例）Aを 20 以上必要とする

⇧上乗せ

（法律）Aを 10 以上必要とする ⇨ 横出し （条例）Bを 10 以上必要とする

この章のPOINT

- 地方自治法は、地方公共団体の区分や組織、運営、国との関係などについて定めた法律である。
- **地方公共団体**とは、一定の地域とそこに住む住民を構成要素とし、その地域に関連する公共的役務《こうきょうてきえきむ》を実施する地域共同体であって、その地域の住民および滞在者に対し、包括的《ほうかつてき》な支配権を有する団体のことである。
- 普通地方公共団体とは、**市町村**と**都道府県**のことである。
- 選挙権は、選挙人となるための資格のことで、日本国民である**満 18 歳以上の者**で、引き続き３か月以上市町村の区域内に住所を有する者に与えられる。
- 被選挙権とは、公職の選挙において候補者となり、当選人となりうる資格のことである。
- 直接請求とは、住民が一定の事項について、議員等を通じてではなく直接地方公共団体の担当機関に対して請求することができるものをいう。
- 普通地方公共団体には、意思決定《いしけってい》をして活動するための機関として**議会**が置かれる。
- 普通地方公共団体には、執行機関《しっこうきかん》（普通地方公共団体の事務を管理し、執行する機関）として、**長**《ちょう》、行政委員会および行政委員が置かれる。
- 地方公共団体は、法律の範囲内で**条例**《じょうれい》および**規則**《きそく》を制定することができる。

5

基礎法学

Lesson 1　法令の構成とその読み方は？

Lesson 2　法令を理解するための基本ルールは？

Lesson 3　知っておく必要のある基礎的な法令用語は？

レッスン 1

法令の構成とその読み方は？

アプローチ

これまで、行政書士試験の科目になっている法律の中身を勉強してきました。基礎法学の科目では、ちょっと目線を変えてみましょう。これから法律の勉強を進めていくうえで、押さえておくべきポイントを学習したいと思います。まずは、法令がどのような構成になっているかという、形式面についてです。
もちろん、ここで説明していることも、行政書士試験で出題されたことがあります

1 法律の成立・公布・施行とは？

法律の成立とは、法律が確定的に完成することです。法律は、原則として、**衆議院、参議院の両議院で可決されたとき**に成立します。また、衆議院で可決された法案が参議院で否決された後に、衆議院で出席議員の**3分の2以上**の多数で再可決された場合にも成立します。

法律の公布《こうふ》とは、成立した法律を公表し、国民一般に知らせることです。法律は、すべて、公布されることになっています。

法律の施行《しこう》とは、成立した法律の効力を発生させることです。多くの場合、法律の施行には準備が必要であり、また、国民一般に周知《しゅうち》する必要があるため、公布してから施行までは一定の期間が置かれます。

法律が施行される日は、その日を定める規定が置かれるのが一般的ですが、施行期日の定めがない場合は、**公布の日から起算《きさん》して20日**を経《へ》て施

行されることになっています（法の適用に関する通則法２条本文）。なお、条例《じょうれい》や規則《きそく》の場合は、**公布の日から起算して10日を経過した日**から施行されます（地方自治法16条３項、５項）。

法律の成立 ＝ 法律の完成

⇩

法律の公布 ＝ 法律の公表

⇩

法律の施行 ＝ 法律の効力発生

2 法律と命令・規則、条例の関係は？

一般に、法とよばれるものには、法律のほかに、命令・規則・条例などがあります。ここでは、それぞれの意味や違いなどについて説明します。

1 命令・規則とは？

命令とは、行政機関によって定められる法規《ほうき》のことをいいます。たとえば、政令《せいれい》や省令《しょうれい》などが命令に該当します。

命令は、原則として、法律の規定を執行するために必要な規則を定める場合（執行命令《しっこうめいれい》）もしくは法律の委任がある場合（委任命令《いにんめいれい》）にのみ定めることができます。また、命令には、**法律の委任がある場合を除き、罰則を定めることはできません**（憲法73条６号）。

執行命令	法律の規定を執行するために必要な規則を定めるもの
委任命令	法律の委任に基づき、その委任事項に関する細則などを定めるもの

規則は、行政機関の定める法規の一種ですが、非常にたくさんの性質のものがあります。

たとえば、省令は「○○法施行『規則』」などという名称とされることがあり、これは命令の一種とされます。また、内閣府や各省の外局である委員会、庁の長官が定めた規則もあります（**国家公安委員会規則**、**公正取引委員会規則**など）。

さらに、衆議院および参議院が定める規則（**衆議院規則**、**参議院規則**）や、最高裁判所が定める規則（**民事訴訟規則**、**刑事訴訟規則**など）もあります。

これらの命令や規則と法律の関係については、法律が優先します。

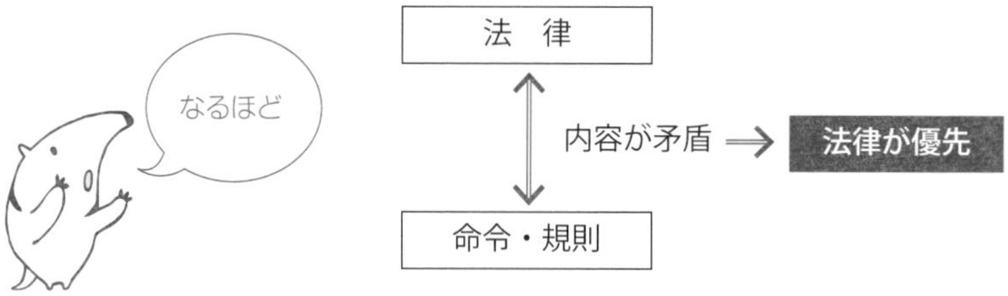

2 条例とは？

条例とは、原則として、地方公共団体の議会が定める、当該地方公共団体の事務に関して定められる法令のことです。

条例は、法令、すなわち**憲法や法律、政令その他の命令に反しない限り**において定めることができます。

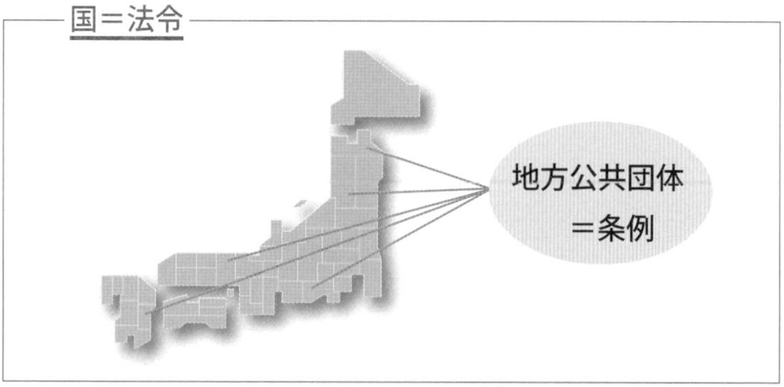

3 法律はどのような構成になっているか？

1 本則・附則

法律の実質的な内容は、本則《ほんそく》と附則《ふそく》とに分かれています。

本則とは、法律の本体的な内容が規定されている部分のことをいいます。本則は、「条《じょう》」を基本的な単位として規定されています。

条の多い法律の場合、法律の内容の理解を容易にするために、本則を章や節などの単位で区切ることがあります。区分の単位は「章《しょう》」が基本であり、章よりも小さな区分をする場合には、「節《せつ》」、「款《かん》」、「目《もく》」が使用されます。また、章よりも大きな区分をする場合には「編《へん》」を使用します。

例 ❶ 本則

会社法
　第2編　株式会社
　　⋮
　第2章　株式
　　第1節　総則
　　　⋮
　　第4節　株式会社による自己の株式の取得
　　　第1款　総則
　　　　⋮
　　　第3款　取得請求権付株式《しゅとくせいきゅうけんつきかぶしき》及び取得条項付株式《しゅとくじょうこうつきかぶしき》の取得
　　　　第1目　取得請求権付株式の取得の請求
　　　　　⋮

附則とは、本則の諸規定に伴って必要となる付随的・経過的な規定が置かれている部分のことをいいます。

附則は、「条」あるいは「項」で区分されているのが一般的です。なお、本来附則において規定すべき事項が非常に多い場合には、附則には必要最小限の事項のみを定め、整備法・施行法《しこうほう》などの名前で別の法律を制定し、そのなかで、附則に定めるべき事項に相当する事項を定めることがあります。

2 その他

法律の実質的な内容は、本則と附則に規定されていますが、法律には、ほかにもいろいろな内容を定めた次のような部分があります。

a．公布文

法律を公布する場合には、冒頭に、法律を公布する旨の文言《もんごん》と、官報《かんぽう》では「御名御璽《ぎょめいぎょじ》」と表記される天皇の署名と押印《おういん》、公布日、内閣総理大臣の署名が記されています。法律のこの部分を**公布文**《こうふぶん》といいます。

例 ❷ 公布文

> ○○○法をここに公布する。
>
> 御　名　　御　璽
>
> 令和××年×月×日
>
> 内閣総理大臣　○○　○○

b．法律番号

法律には、「法律第○○号」というように、それぞれ**法律番号**が付されます。法律番号は、各年ごとに公布が早い順につけられます。法律番号は、法律を区別するためにつけられるもので、題名が同じ法律が存在する場合には、この法律番号が法律を区別するための決め手となります。

また、法律の題名が改正されることがありますが、その場合、改正である以上は法律の同一性は維持されているため、法律番号は変わりません。したがって、**題名が改正された法律の同一性**は、法律番号で確認することができます。

c．題名

法律には、「民法」「商法」などと題名がつけられているのが一般的です。

近年は題名が付されるのが当然のようになっていますが、1947 年（昭和 22 年）頃までは、題名が付されていない法律もあり、その場合には、公布文のなかの語句をその法律を表示する名称としていたものがあります。この場合、その法律を表示する名称を「**件名**《けんめい》」とよんでいました。

例 ❸ 件名と法律番号

> 立木《りゅうぼく》に関する法律（明治 42 年法律第 22 号）

この題名は、その法律で何を規定しているのかを簡潔に示すものです。

d．目次

本則の条文が章や節によって区分されている場合、その法律には**目次**が付されます。

目次には、章や節のほか、その章や節に含まれる条文が表記されています。

例 ❹ 目次

会社法

第５章　計算等

第１節　会計の原則（431 条）

第２節　会計帳簿等

第１款　会計帳簿（432 条－ 434 条）

⋮

第６章　定款《ていかん》の変更（466 条）

⋮

e．前文

前文《ぜんぶん》は、法律の本則の前に置かれる文章のことです。前文は、その法律の基本原理を示したり、その法律の条文の解釈の基準となったりします。

憲法には前文が置かれています。法律は、前文を置かないもののほうが多いのですが、前文を置いているものもあります。

例 ❺ 前文

教育基本法

我々日本国民は、たゆまぬ努力によって築いてきた民主的で文化的な国家を更に発展させるとともに、世界の平和と人類の福祉の向上に貢献することを願うものである。我々は、この理想を実現するため、個人の尊厳を重んじ、真理と正義を希求し、公共の精神を尊び、豊かな人間性と創造性を備えた人間の育成を期するとともに、伝統を継承し、新しい文化の創造を目指す教育を推進する。ここに、我々は、日本国憲法の精神にのっとり、我が国の未来を切り拓く教育の基本を確立し、その振興を図るため、この法律を制定する。

f．表・別表

条文の内容を明瞭に説明するために、法律のなかに表が使用されることがあります。条のなかに置く場合を、単に「**表**」といい、法令の末尾（附則の後）に置く場合を「**別表**」といいます。

表のなかに記載すべき事項が多い場合などに別表がよく用いられます。

3 本則の体系

日本には多数の法令があり、そこに定められている事項も多岐にわたります。そのため、すべての法律に通じる体系があるわけではありませんが、それでも、多くの法律に共通する体系はあります。

日本の民法でとられている体系を一般に**パンデクテン方式**といい、多くの法律でこの方式が採用されています。

パンデクテン方式とは、一般的・抽象的規定を個別的規定に先立ち「**総《そう》則《そく》**」としてまとめて置き、その後に個別的な規定を置くという体系です。

たとえば、民法では、次のような体系で各規定が置かれています。

例 ⑥ パンデクテン方式

民法
　第1編　総則
　　第1章　通則
　　　⋮
　第2編　物権
　　第1章　総則
　　第2章　占有権《せんゆうけん》
　　　⋮
　第3編　債権
　　第1章　総則
　　　⋮

個別的な規定については、まず実体的《じったいてき》な規定を置き、その後に雑則的《ざっそくてき》な規定を置くのが一般的です。また、罰則についての定めがある場合には、雑則的な規定の後に罰則に関する規定を置くのが一般的です。

4 法律の条文はどのような構成になっているか？

前項では、法律全体の構成について述べましたが、法律は、個々の条文についても、次のような一定のルールに則《のっと》った構成があります。

1 見出し

見出しは条文の構成を要約したもので、条文の前につけられます。

例 ⑦ 見出し

民法

（基本原則）

第１条　私権《しけん》は、公共の福祉に適合しなければならない。

⋮

見出しは、一つの条ごとにつけられるのが原則です。

ただし、例外的に、連続した複数の条の前に一つだけ見出しが置かれることもあります。これを「共通見出し」といいます。また、附則が項だけで構成されている場合には、項に見出しが付されることがあります。

2 条、項、号など

a．条

条は、条名ともいいます。条文の本体の前、見出しの後に置かれるものです（例⑦参照）。

条文は、第１条、第２条と順番に並べられていることが多いのですが、第２条の２などと枝番号《えだばんごう》になっている場合があります。

条文が枝番号となっているのは、後から、**改正により追加された条文**です。改正の仕方には二つの方法があり、一つは、新しい条文を入れる予定の条文以降の条を繰り下げたうえで入れる（たとえば、第10条を追加する場合、もとの第10条を第11条とし、その後の条も一つずつ繰り下げたうえで、新しい第10条を挿入する）という方法です。もう一つは、追加する条文の数が非常に多い場合や、法律の条文自体がそもそも非常に多い場合などに行われる、枝番号をつけて挿入するという方法です。たとえば、民法の根《ね》抵当権《ていとうけん》の条文は、抵当権の規定の直後に枝番号を付して挿《そう》入《にゅう》されています。

例 ❽ 条

民法

第３節　抵当権の消滅

第 396 条

⋮

第 398 条

第４節　根抵当《ねていとう》

第 398 条の２

⋮

第 398 条の 22

第３編　債権

第 399 条

⋮

b．項

項《こう》は、条のなかで、別行で区別された段落のことです。主として、一つの条をその内容等に応じてさらに区分する必要が生じた場合に使用されます。

項を使用する場合、その表記の仕方は、第１項には数字が付されず、第２項以降に数字で「２、３…」と、項の番号が付されます。

例 ❾ 項

民法

第１条　私権は、公共の福祉に適合しなければならない。

２　権利の行使及び義務の履行は、信義《しんぎ》に従い誠実《せいじつ》に行わなければならない。

３　権利の濫用《らんよう》は、これを許さない。

項

もっとも、法律の本則あるいは附則が複数の項のみで構成されている場合には、第１項から項番号が付されています。

例 ❿ 項

元号法《げんごうほう》

１　元号は、政令で定める。

２　元号は、皇位の継承があつた場合に限り改める。

項

c．号

号《ごう》は、条や項のなかで、多くの項目を分けて並べる必要が生じた場合に、これを箇条書きにし、番号を付したものです。

縦書きの法令の場合には、漢数字「一、二、…」の号名が使用され、横書きの法令の場合には「(1)、(2)、…」が使用されます。

縦書きの法令の場合、号をさらに区分するときは、「イ、ロ、…」が使用され、さらに区分するときは、「(1)、(2)、…」が使用されます。

3 本文、ただし書

条や項のなかを、「ただし」によって分けている場合があり、「ただし」の前の文を**本文《ほんぶん》**、「ただし」よりも後の文を**ただし書《がき》**といいます。

条や項が「ただし」によって分けられている場合、本文が原則を、ただし書が例外を定めているのが一般的ですが、「ただし」以降が本文の内容を補足する役割を果たしている場合もあります。

例 ⑪ 本文、ただし書

A。ただし、B。→「Aが原則で、Bはその例外である」

または

「BはAの補足である」

4 前段・中段・後段

条や項のなかが「ただし」を使用することなく数個の文章で構成されている場合があります。二つで構成されている場合は、前の文を「**前段《ぜんだん》**」、後の文を「**後段《こうだん》**」といいます。三つで構成されている場合には、前の文を「**前段**」、真ん中の文を「**中段《ちゅうだん》**」、後の文を「**後段**」といいます。

例 ⑫ 前段・後段

民法126条

取消権《とりけしけん》は、追認《ついにん》をすることができる時から5年間行使しないときは、時効《じこう》によって消滅する。行為の時から20年を経過したときも、同様とする。

→「取消権は～消滅する。」までが前段

「行為の～同様とする。」が後段

5 柱書

条や項に号が存在するとき、その号に記載された以外の部分のことを柱書《はしらがき》といいます。

例 ⑬ 柱書

民法 111 条1項　　　　柱書

代理権は、次に掲げる事由によって消滅する。

一　本人の死亡

二　代理人の死亡又は代理人が破産手続開始の決定若しくは後見開始の審判を受けたこと

6 かっこ書

条や項の本文中にかっこ書《がき》で字句や文章を挿入する場合があります。

かっこ書は、本文中の文章や字句の**定義や説明**、**例外的な場合**を示すものなど、さまざまな目的で使用されます。

例 ⑭ かっこ書

会社法 329 条1項

役員（取締役、会計参《かいけいさん》与《よ》及び監査役をいう。以下この節…において同じ。）及び会計監査人は、株主総会の決議によって選任する。

→「役員」の定義を示すとともに、その定義が使用される箇所を示す

会社法 332 条2項

前項の規定は、公開会社《こうかいがいしゃ》でない株式会社（監査等委員会設置会社及び指名委員会等設置会社を除く。）において…妨げない。

→ 例外的な場合を示す

この章のPOINT

- 法律は、**成立**した後、**公布《こうふ》**、**施行《しこう》**を経《へ》て、その効力を生ずる。
- 法律は国会が制定するものであるのに対し、命令および規則は行政機関が制定するものである。法律と命令・規則の内容が矛盾する場合、法律が優先する。
- **条例《じょうれい》**は、地方公共団体の事務に関して、当該地方公共団体の議会が定める法令のことである。条例は、法令に反しない限りにおいて定めることができる。
- 法律の実質的な内容は、法律の本体的な内容が規定されている「本則《ほんそく》」と、本則の諸規定に伴って必要となる付随的·経過的な規定が置かれている「附則《ふそく》」とに分かれる。
- 法律の本則の体系として、多くの法律は、一般的・抽象的規定を個別的規定に先立ち「**総則《そうそく》**」としてまとめて置き、その後に個別的な規定を置くという、「パンデクテン方式」を採用している。
- 法律の個々の条文は、「条《じょう》→項《こう》→号《ごう》→イロハ…→（1）（2）（3）…」の順で構成される。
- 「本文」と「ただし書《がき》」では、本文が原則を、ただし書が例外を定めているのが一般的であるが、「ただし書」が本文の内容を補足する役割を果たすこともある。
- 条や項が、接続詞を使用することなく、数個の文章で構成されている場合、前の文を「前段《ぜんだん》」、後の文を「後段《こうだん》」という。
- 条や項に号が存在するとき、その号に記載された以外の部分のことを「柱書《はしらがき》」という。
- 「かっこ書《がき》」は、本文中の文章や字句の定義や説明、例外的な場合を示すものなど、さまざまな目的で使用される。

レッスン
2 法令を理解するための基本ルールは？

アプローチ

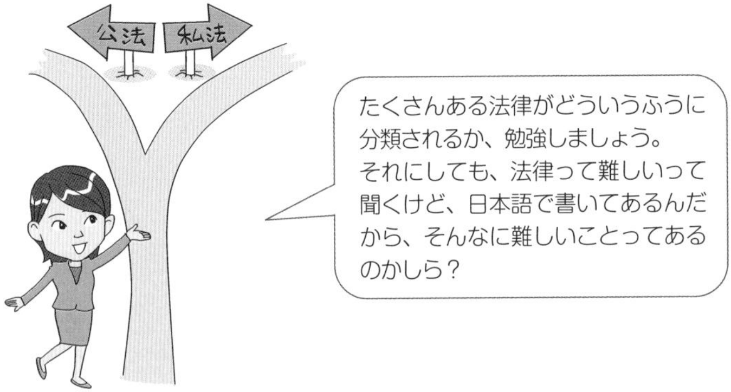

1 法律はどのように分類されるか

1 成文法、不文法

文章の形で表されている法律のことを**成文法《せいぶんほう》**、文章の形で表されていない法律を**不文法《ふぶんほう》**といいます。

国会などの立法《りっぽう》機関で定める法律はすべて成文法です。

不文法としては、**慣習法《かんしゅうほう》**があります。慣習法とは、法的な効力の認められる慣習のことをいいます。また、裁判所の判決は、同様の事件に対しては同様の判断がなされるという意味で、過去の判決（**判例《はんれい》**といいます）が事実上法律同様の機能を果たすことがあります（これを判例法などと称することもあります）。これも不文法の一種とみることができます。

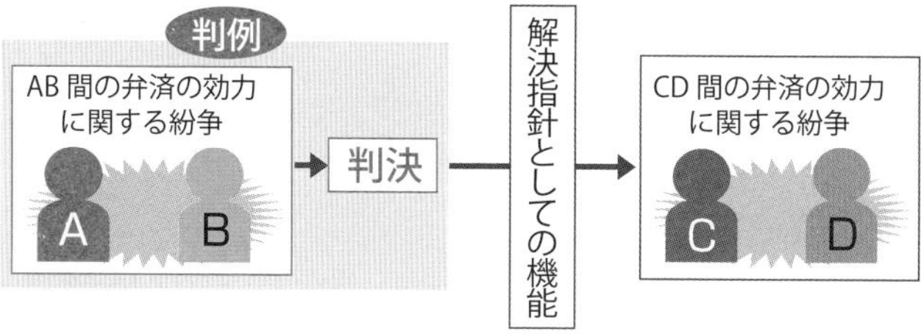

2 一般法と特別法

一般法《いっぱんほう》とは、法の適用領域が限定されず、一般的に適用される法律のことをいいます。特別法《とくべつほう》とは、対象となる地域や人などが限定されている法律のことをいいます。

民法（一般法） ＝ 一般国民が対象

商法（特別法）
＝商人などが対象

3 強行法規と任意法規

強行法規《きょうこうほうき》とは、当事者が、その法律で定められた内容と異なる合意をすることができず、当事者の意思にかかわらず、その適用が強制される法律のことをいいます。

例 1 強行法規

法律（強行法規）の規定 「A をしてはならない。」
当事者の合意 「A をしなければならない。」
⇒ 強行法規が優先する

これに対し、任意法規《にんいほうき》とは、当事者が法律の定めた内容と別の合意等をした場合には、当事者の合意が優先され、その法律の適用が排除される法律のことをいいます。

例 2 任意法規

法律（任意法規）の規定 「A をしなければならない。」
当事者の合意 「A ではなく B をしなければならない。」
⇒ 当事者の合意が優先する

なお、法律の規定のなかには、**取締《とりしまり》規定《きてい》**とよばれるものもあります。取締規定とは、行政上の目的（取締り目的）に基づき、国民に対して行為を制限したり、禁止したりすることを内容とする規定のことをいいます。

4 実体法と手続法

実体法《じったいほう》とは、権利や義務など法律関係の内容を定める法律のことをいいます。**手続法《てつづきほう》**とは、実体法の内容を実現するための手続について定めた法律のことをいいます。

〈実体法と手続法〉

AのBに対する権利の存在 ⇨ 実体法で内容を規定

↓ ⇨ 手続法で手続を規定

実　現

2 法律の適用に関するルールは？

1 前法と後法

同じ事項について、**時間的に先に定めた法律**（**前法《ぜんぽう》**）**と後に定めた法律**（**後法《こうほう》**）**がある場合**、その事項に関しては、原則として、**後に定めた法律が適用**されます。

これは、同じ事項について後に定めた法律があるということは、一般的に、後の法律によって前に定めたことを変更しようとする趣旨だと考えられるからです。

例 ❸ 前法と後法

２００X 年制定　△△法「AはBである。」

２０１Y 年制定　□□法「AはCである。」

⇩

現在におけるAは、□□法の適用により、Cとなる

2 一般法と特別法

同じ事項について定めた**一般法**と**特別法**がある場合、原則として特別法が優先して適用されます。

たとえば、代理の方式について、民法では代理人が本人のために行為することを示す「顕名《けんめい》」が必要とされていますが（民法 99 条 1 項）、商法では、商行為《しょうこうい》の代理では顕名は不要とされています（商法 504 条）。この場合、商法が民法の特別法の関係に立つため、商行為の代理については、**商法が優先して適用**されます。

民法（一般法）　＝　代理の方式：顕名必要	
	商法（特別法） ＝代理の方式：顕名不要

3 法律の規定には何が定められているか？

法律の規定には、**要件《ようけん》**と**効果《こうか》**が定められています。つまり、法律に定めてある**要件が満たされる**と、法律に定めてある**効果が発生**するという関係にあります。

たとえば、民法 162 条 1 項では「20 年間、所有の意思をもって、平穏《へいおん》に、かつ、公然《こうぜん》と他人の物を占有《せんゆう》した者は、その所有権を取得する」と規定されています。この条文によれば、「20 年間、所有の意思をもって、平穏に、かつ、公然と他人の物を占有した」という要件を満たした者には、その物の「所有権を取得する」という効果が発生するということになります。

要件		効果
① 20 年間 ② 所有の意思 ③ 平穏 ④ 公然 ⑤ 他人の物を占有	⇨	所有権を取得

（要　件）　（効　果）

4 法の解釈とは何か？

1 法律の解釈とは？

法律の解釈とは、その法律の規定することを明らかにすることをいいます。

法律は、国民の権利義務など重要な事項を定めるものですから、できる限り明確な文言《もんごん》が用いられます。しかしながら、すべての事項を疑義なく定めることは不可能ですし、ある程度さまざまな事態に対応できるよう抽象的な文言をあえて用いる場合もあります。その場合には、当該規定がどのような意味を有するのかということを解釈する必要が生ずるのです。

その解釈の手法には、たとえば次のようなものがあります。

- 文理解釈
- 論理解釈
  - 反対解釈
  - 類推解釈 ── 勿論解釈
  - 縮小解釈
  - 拡張解釈
  - 変更解釈

2 文理解釈

文理《ぶんり》解釈とは、**条文の言葉をその文言の意味するところに従って忠実に解釈する**という方法です。文言に忠実に解釈するという手法であり、法律の解釈の原則的な方法といえます。

しかし、文言そのものがさまざまな解釈がなされる場合があります。たとえば、「人」という文言が使用されている場合、それは通常は自然人《しぜんじん》（人間のこと。法人と区別するために用いられる用語）を指す言葉として使用されるのですが、場合によっては、法人をも含む概念として（あるいは、法人をも含むものとして解釈されて）「人」という文言が使用されることがあります。

また、文言に忠実に解釈すると、適用する規定が存在しない場合、適正妥当な結論が得られない場合、あるいはその規定の趣旨と異なる結論等が導かれる場合など、さまざまな不都合が生ずることも考えられます。

そこで、文理解釈だけでは適切な解決が導かれない場合には、次に述べるような論理解釈がなされます。

例 ④ 文理解釈

文理解釈 ＝ 法律を、その文言どおりに解釈

⇩ 不都合な場合

論理解釈によって修正を加える

③ 論理解釈

論理解釈とは、必ずしも法律の文言のみにとらわれずに、**法の目的や他の条文などを参照し、論理的な思考に基づいて法律を解釈する**というものです。

論理解釈には、次のようなものがあります。

a．反対解釈

条文に規定されている事項以外には、その条文は適用されないと解釈する解釈方法のことをいいます。

たとえば、「この道は、自動車は通ってはいけない」という規定があった場合に、「通ってはいけないのは自動車だけで、人は通ってもかまわない」と解釈するのが反対解釈の例です。

例 ⑤ 反対解釈

「この道は、自動車で通ってはならない」

⇩

通ってはならないのは自動車だけである

⇩

徒歩でならば通ってもよい、と解釈する

b．類推解釈

ある事項について、直接規定する条文がない場合に、類似する事項について定めた条文を当該事項に当てはめて同様の解釈をするという解釈方法のことをいいます。

たとえば、ある道について、「馬を連れて通ってはいけない」という規定はあるが、牛についての規定はない場合に、牛と馬の類似性に着目して、牛を連れて通ることも認められないと解釈するのが類推《るいすい》解釈の例です。

例 ❻ 類推解釈

「この道は、馬を連れて通ってはならない」

⇩

馬を連れて通ってはいけないので、馬に似たものも禁止のはず

⇩

牛を連れて通るのもいけない、と解釈する

この規定を前述の反対解釈の方法で解釈すると、次のようになります。

例 ❼ 反対解釈

「この道は、馬を連れて通ってはならない」

⇩

連れて通ってはならないのは馬だけである

⇩

牛を連れて通ってもよい、と解釈する

このように、同じ規定であっても、類推解釈をするか、反対解釈をするかによって正反対の結論が導かれてしまうのです。

c．勿論解釈

ある事項について直接規定しているわけではないが、**その条文の趣旨からみて当然に適用が予定されていると考えられるので、その事項にその条文を適用すると解釈する**解釈方法のことです。

この勿論《もちろん》解釈は、類推解釈の一種であるとされています。

たとえば、民法738条は、「成年被後見人《せいねんひこうけんにん》が婚姻《こんいん》をするには、その成年《せいねん》

後見人《こうけんにん》の同意を要しない」と規定していますが、被保佐人《ひほさにん》が保佐人《ほさにん》の同意を得ずに婚姻をすることができるかどうかについて規定した民法上の条文はありません。しかし、成年被後見人は、被保佐人よりも行為能力（有効な法律行為《ほうりつこうい》を行うことができる能力）が下回るとされています。したがって、その成年被後見人が成年後見人の同意を得ずに婚姻ができる以上、それよりも能力の高い被保佐人は、当然に保佐人の同意なく婚姻をすることができるとするのが、民法の趣旨だと考えられます。よって、勿論解釈により、被保佐人は、保佐人の同意なく婚姻をすることができると解されます。

例 8 勿論解釈

「成年被後見人が婚姻をするには、その成年後見人の同意を要しない」

⇩

被保佐人は、成年被後見人よりも行為能力が高い

⇩

被保佐人が婚姻をするには、その保佐人の同意を要しない、と解釈する

d．縮小解釈

条文の文言を通常の用法より狭い意味に解釈する解釈方法のことです。

たとえば、民法が、「善意《ぜんい》（当該事項について知らないこと）の者を保護する」と規定している場合に、善意の者をすべて保護するのではなく、「善意であり、かつ、過失のない（無過失《むかしつ》の）者」だけを保護すると解釈するのが縮小解釈の例です。

法律の文言どおりの効果を認めたのでは、効果の認められる範囲が広すぎるため、妥当でないと考えられる場合などに縮小解釈が用いられます。

例 9 縮小解釈

「善意の者を保護する」

⇩

善意の者すべてを保護したのでは、保護される者の範囲が広すぎる

⇩

善意無過失の者のみを保護する、と解釈する

e．拡張解釈

条文の文言を通常の用法より広い意味に解釈する解釈方法のことです。

たとえば、民法 722 条２項は、不法行為の「被害者に過失があったときは、裁判所は、これを考慮して、損害賠償の額を定めることができる」としています。この規定は、不法行為の加害者は被害者に対して損害賠償をしなければならないことを原則としつつ、損害が発生したことについて被害者にも過失があると認められる場合には、その被害者の過失の程度などを考慮して加害者の賠償額を減額することを定めています。

この制度は、過失相殺《かしつそうさい》とよばれており、加害者と被害者の公平を図る見地から設けられているのですが、公平の見地という観点からみると、被害者本人の過失に限定する必要はないと考えられます。たとえば、自動車で幼児にぶつかってケガを負わせた場合、その幼児本人に過失がなかったとしても、幼児を監督していた親に過失が認められるときは、損害額の一部を被害者側に負担させることがむしろ過失相殺の趣旨に合致するためです。

そこで、裁判例などでは、被害者と一定の関係にある者を被害者側ととらえ、被害者側に過失がある場合にも過失相殺を認めています。これは、民法 722 条２項の「被害者」を「被害者側」と拡張解釈する例といえます。

例 ⑩ 拡張解釈

「被害者に過失があったとき」に損害額を考慮できる

⇩

損害の公平な分担という趣旨に鑑みると、被害者本人に限定する必要はない

⇩

「被害者」に限定せず、「被害者側」の過失も含む、と解釈する

f．変更解釈

条文で使用されている文言を変更して、本来その文言が意味するところとは別の意味に解釈するという解釈方法のことです。

変更解釈は、解釈の結果、条文の意味が変わってしまうことになるので、頻繁《ひんぱん》に利用できる解釈方法ではありません。立法《りっぽう》上の誤りがはっきりしているとか、文言の意味を変える必要性がはっきりしているなど、変更解釈

をすることの必要性が明白である場合に限り認められます。

変更解釈の例としては、民法 106 条があげられます。同条 1 項は「復《ふく》代理人《だいりにん》は、その権限内の行為について、本人を代表する」と定めていますが、復代理人とは、代理人から本人の代理権限の一部もしくは全部を授与された者ですから、その有する権限は「代表」ではなく「代理」であることは明らかです。したがって、この民法 106 条 1 項の「代表」とは、「代理」のことであると変更解釈されています。

例 ⑪ 変更解釈

「復代理人は…本人を代表する」

⇩

復代理人も「代理人」であるから、
その権限は「代表」ではなく「代理」であることは明らか

⇩

復代理人は…本人を「代理」する、と解釈する

この章の POINT

- 文章の形で表されている法律のことを「成文法《せいぶんほう》」、文章の形で表されていない法律を「不文法《ふぶんほう》」という。
- 法の適用領域が限定されず、一般的に適用される法律のことを「**一般法**《いっぱんほう》」、対象となる地域や人などが限定されている法律のことを「**特別法**《とくべつほう》」という。
- 当事者が、その法律で定められた内容と異なる合意をすることができず、当事者の意思にかかわらず、その適用が強制される法律のことを「**強行法規**《きょうこうほうき》」、当事者が法律の定めた内容と別の合意等をした場合には、当事者の合意が優先され、その法律の適用が排除される法律のことを「**任意法規**《にんいほうき》」という。

- 権利や義務など法律関係の内容を定める法律のことを「実体法《じったいほう》」、実体法の内容を実現するための手続について定めた法律のことを「手続法《てつづきほう》」という。
- 同じ事項について、先に定めた法律（前法《ぜんぽう》）と後に定めた法律（後法《こうほう》）がある場合、その事項に関しては、原則として、後法が適用される。
- 同じ事項について定めた一般法と特別法がある場合、原則として**特別法が適用される**。
- 法律の規定には、要件《ようけん》と効果《こうか》が定められており、法律に定めてある要件が満たされると、法律に定めてある効果が発生する。
- 条文の言葉をその文言《もんごん》の意味するところに従って忠実に解釈するという方法を「**文理《ぶんり》解釈**」という。
- 条文に規定されている事項以外は、その条文は適用されないと解釈する解釈方法のことを「**反対解釈**」という。
- ある事項について、直接規定する条文がない場合に、類似する事項について定めた条文を当該事項に当てはめて同様の解釈をするという解釈方法のことを「**類推《るいすい》解釈**」という。
- ある事項について直接規定しているわけではないが、その条文の趣旨からみて当然に適用が予定されていると考えられるので、その事項にその条文を適用すると解釈する解釈方法のことを「勿論《もちろん》解釈」という。
- 条文の文言を通常の用法より狭い意味に解釈する解釈方法のことを「縮小解釈」という。
- 条文の文言を通常の用法より広い意味に解釈する解釈方法のことを「拡張解釈」という。
- 条文で使用されている文言を変更して、本来その文言が意味するところとは別の意味に解釈するという解釈方法のことを「変更解釈」という。

レッスン3 知っておく必要のある基礎的な法令用語は？

アプローチ

1 法令用語は難しいものなのか？

行政書士試験受験のための勉強をするにあたっては、試験に出題される範囲について解説した参考書（これを基本書ということがあります）を読んで、知識を習得する必要があります。行政書士試験は、憲法、民法、行政法などの法律が出題範囲の大部分を占めていますから、この基本書は出題範囲となっている各法律に定められている内容を解説しているわけです。

したがって、勉強をするにあたっては、法律の条文を避けて通ることはできません。**出題範囲となっている法律の条文に書かれている内容がそのまま行政書士試験の問題として出題されることも少なくない**のです。

試験の出題範囲となっている法律の条文や、法律について解説された書籍を読んでその内容を理解するには、そこで用いられている**言葉の使われ方**について、一定の約束事（ルール）を理解しておく必要があります。

法律や法律の条文の構成については、すでに説明しましたので、ここでは、法律の条文をはじめとする法律に関する文章を読んで内容を理解するうえで知っておくべき基本的な用語・語句の意味や使い方について、わかりやすく説明していきます。

ここで取り上げている用語・語句は、特に法律の条文には頻繁《ひんぱん》に現れますので、学習のはじめにある程度意味や使い方を知っておくと、その後の学習を効率的に進めることができるようになります。

2 接続詞の使い方に着目しよう

1 『及び（および）』・『並びに（ならびに）』

『**及び**（および）』・『**並びに**（ならびに）』は、ともに言葉と言葉を併合的に並べてつなぐ接続詞です。両方ともに、英語の『and』にあたります。

日常生活のなかで『及び』・『並びに』を使うときには、両者を意識的に使い分けることはあまりありませんが、法令の用語として使われる際には、両者は厳密なルールに基づいて使い分けられています。したがって、それぞれの使い方、使い分けのルールを理解しておくと、法律の条文を読むときにその条文の内容を理解しやすくなります。

併合する言葉が２個のときには『及び』でつなぎます。併合する言葉が３個以上のときには、いちばん最後の二つの言葉を『及び』でつなぎ、それ以外の言葉は『、（読点《とうてん》）』で区切ります。この場合には、『並びに』は使いません。

例 ❶

・課長**及び**係長
・部長、課長**及び**係長

併合して接続する関係が２段階の場合は、**上位の接続**（より大きな接続）に『並びに』を使い、**下位の接続**（小さな接続）に『及び』を使います。

例 ❷

・Ａ課の課長**及び**係長**並びに**Ｂ課の課長
・Ａ課の課長**及び**係長**並びに**Ｂ課の課長、係長**及び**主任

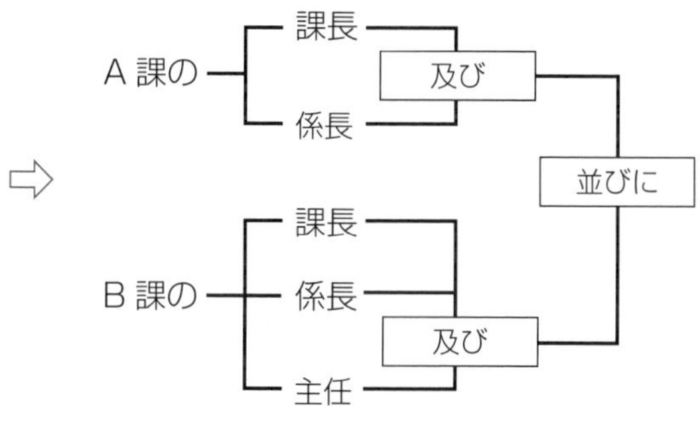

例 ❸

地方公共団体の区分**並びに**地方公共団体の組織**及び**運営に関する事項
（地方自治法１条より）

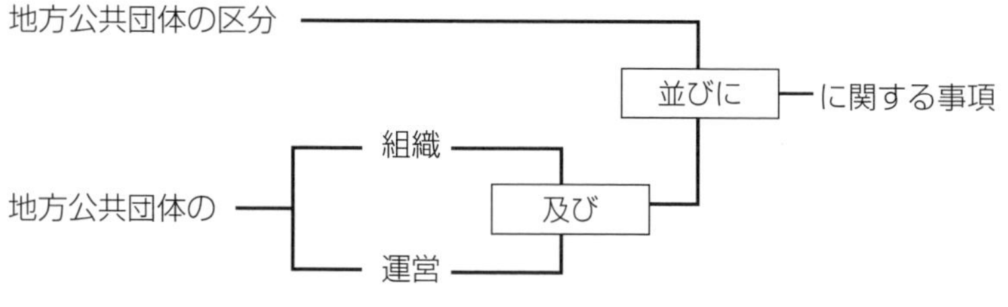

例 ❹

取締役**及び**監査役の報酬**並びに**Ａ事業部の課長、係長**及び**主任の給与

例④は、『取締役及び監査役の報酬』と『Ａ事業部の課長、係長及び主任の給与』が『及び』によってそれぞれ小さな接続となっていて、これを『並びに』で接続しています。そして、それぞれの接続のなかで、『の報酬』という言葉は、取締役と監査役の両方にかかり、『Ａ事業部の』と『の給与』の二つの語句は、ともに課長、係長、主任の三つの語句にかかっています。

結論として、例④は、大きく二つのグループに分けられた全部で五つの内容を表しています。

報酬のグループ	① 取締役の報酬 ② 監査役の報酬
給与のグループ	③ Ａ事業部の課長の給与 ④ Ａ事業部の係長の給与 ⑤ Ａ事業部の主任の給与

上の例は、併合して接続する関係が２段階ですが、接続される言葉が３段階以上になることもあります。その場合は、**いちばん小さな接続にのみ**『及び』を使い、それ以上の段階にはすべて『並びに』を使います。

例 ❺

地方自治法 202 条の2第１項

人事委員会は、別に法律の定めるところにより、人事行政に関する調査、研究、企画、立案、勧告等を行い、職員の競争試験**及び**選考を実施し、**並びに**職員の勤務条件に関する措置《そち》の要求**及び**職員に対する不利益処分《ふりえきしょぶん》を審査し、**並びに**これについて必要な措置を講《こう》ずる。

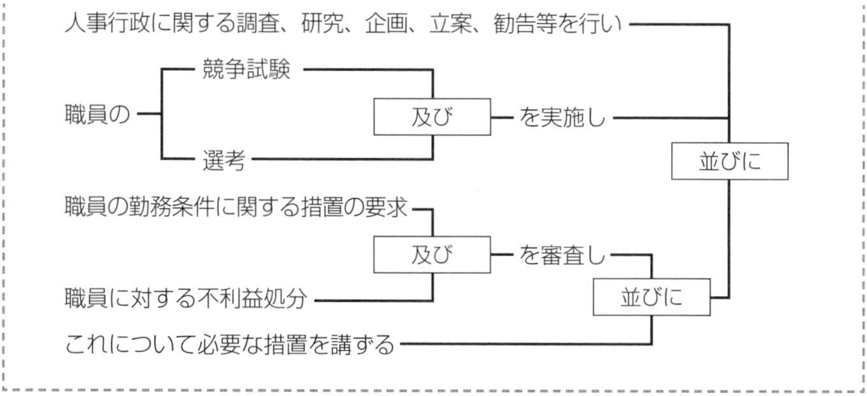

❷ 『又は（または）』・『若しくは（もしくは）』

『及び』・『並びに』が言葉と言葉を併合的に並べてつなぐ接続詞であるのに対して、**『又は（または）』**と**『若しくは（もしくは）』**は、選択的に並べてつなぐ接続詞です。両方ともに、英語の『or』にあたります。

『又は』・『若しくは』という言葉は、『及び』・『並びに』と同じように、それぞれの使い方、使い分けのルールを理解しておくと、法律の条文を読むときにその条文の内容を理解しやすくなります。

それぞれの言葉の使い方は、『及び』と『並びに』と同じです。**選択する言葉が２個のときには『又は』でつなぎ、**選択する言葉が３個以上のときには、いちばん最後の二つの言葉を『又は』でつなぎ、それ以外の言葉は『、（読点）』で区切ります。

例 ６

・課長**又は**係長

・部長、課長**又は**係長

『及び』との違いは、『課長及び係長』といった場合には、課長と係長の両方という意味になるのに対して、『課長又は係長』といった場合には、課長と係長のどちらかという意味になるところです。

選択して接続する関係が２段階になる場合は、**上位の接続（より大きな接続）に『又は』を使い、下位の接続（小さな接続）に『若しくは』を使います。**

例 ⑦

・A課の課長**若しくは**係長**又は**B課の課長

・A課の課長**若しくは**係長**又は**B課の課長、係長**若しくは**主任

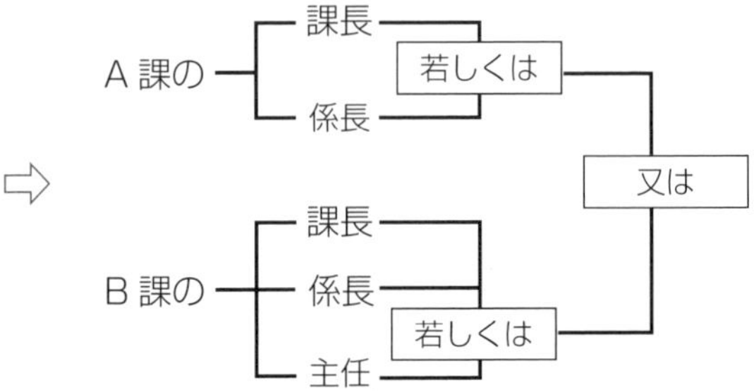

結合される語が３段階以上になる場合は、**いちばん大きな選択にのみ『又は』を使い**、それ以下の段階にはすべて『若しくは』を使います。

実際の法律の条文では、次のような使われ方がよくされています。

例 ⑧

課長**又は**係長の給与**又は**賞与

例⑧は、次の四つの内容を表しています。

① 課長の給与
② 課長の賞与
③ 係長の給与
④ 係長の賞与

それぞれの言葉が『又は』を介《かい》してどのようにかかわっているのかを例と見比べて理解するようにしてください。

最後に、『及び』『並びに』と『又は』『若しくは』について、その使い方を整理すると、次のようになります。

	下位の接続	上位の接続
併合的につなぐ	及び	並びに
選択的につなぐ	若しくは	又は

（注）赤色の部分は、接続関係が多段階にわたらない場合（接続関係が上位と下位の関係にならない場合）に使われる接続詞であることを示しています。

3 基準となる数値を含むか否か

1 『以上』・『超える』・『以下』・『未満』

『以上』・『超える』・『以下』・『未満』は、いずれも一定の金額や数量を基準としてその大小を表す語句です。

『以上』と『超える』は、どちらも一定の金額や数量を基準として、それよりも大きいことを示します。ただし、**『以上』は基準になる数量を含みますが、『超える』は基準となる数量を含みません。**

たとえば、「1,000円以上」の場合は1,000円を含みますが、「1,000円を超える」の場合は1,000円は含まれず、1,001円からとなります。

		算式（等号、不等号）で表すと……
Aは1,000円**以上**	⇨	A ≧ 1,000円
Aは1,000円を**超える**	⇨	A ＞ 1,000円

次に、『以下』と『未満』は、どちらも一定の数量を基準として、それよりも小さいことを示します。ただし、**『以下』は基準になる数量を含みますが、『未満』は基準となる数量を含みません。**

		算式（等号、不等号）で表すと……
Aは1,000円**以下**	⇨	A ≦ 1,000円
Aは1,000円**未満**	⇨	A ＜ 1,000円

たとえば、「1,000円以下」の場合は1,000円を含みますが、「1,000円未満」の場合は1,000円は含まれず、999円までとなります。

まとめると、次のようになります。

1,000円**以上**の金額	1,000円を含み、それよりも多い金額
1,000円を**超える**金額	1,000円を含まず、それよりも多い金額
1,000円**以下**の金額	1,000円を含み、それよりも少ない金額
1,000円**未満**の金額	1,000円を含まず、それよりも少ない金額

なお、法令では「超えない範囲内」という言い方がしばしば現れます。

例 ❾

1,000円を**超えない範囲内**で………

この場合、1,000円を含むのでしょうか、それとも含まないのでしょうか。

「超えない」というのは、「超える」の反対を意味する言葉です。「1,000円を超える」だと、1,000円を含まずそれよりも多い金額ということになります。「1,000円を超えない」というのは、その反対を意味しているわけですから、1,000円を含みそれよりも少ない金額ということになります。

つまり、『超えない範囲内』という場合には、**基準となる数量を含む**ことに注意が必要です。

Aの金額は1,000円を **超えない範囲内**で定める	⇨	算式（等号、不等号）で表すと… A ≦ 1,000円

② 『以前』・『前』・『以後』・『後』

『以前』・『前《ぜん》』・『以後』・『後《ご》』は、いずれもある日時を基準として時間的な前後関係を表す語句です。

それぞれの語句の使い方は、『以上』・『超える』・『以下』・『未満』と同じで、**『以前』・『以後』は基準となる日時を含み、『前』・『後』は、基準となる日時を含みません。**

たとえば、「8月1日以前」あるいは「8月1日以後」の場合は8月1日を含みますが、「8月1日前」あるいは「8月1日後」の場合は8月1日は含みません。

8月1日以前	8月1日を含み、それよりも前の期間
8月1日前	8月1日を含まず、それよりも前の期間
8月1日以後	8月1日を含み、それよりも後の期間
8月1日後	8月1日を含まず、それよりも後の期間

3 『以内』・『内』

『以内』・『内《ない》』は、ある数値（最終の数量、最終の時点）を基準として、『以内』は基準となる数量や日時を含み、『内』は基準となる数量や日時を含みません。

> **例 ⑩**
>
> 10日**以内** ……10日を含み、それより短い期間を表す
>
> 10日**内** ………10日を含まず、それより短い期間を表す
>
> （10日という基準時点の一瞬手前までを表す）

ただ、例⑩のように期間を表す場合、『以内』・『内』の違いは、最終の時点（その瞬間）を含むかどうかという違いだけになりますから、両者の間には実際上大差はありません。そこで、基準点を含まないことを明確にするときには、『内』ではなく、『未満』や『満たない』と表現することがあります。

4 関連する言葉を対比して理解しよう

1 『推定する』・『みなす』

『推定《すいてい》する』・『みなす』は、いずれも日常用語ではあまり使われませんが、法律の条文では比較的よく使われる言葉です。

『推定する』は、ある事実について法律上はこうであろうという判断を下して一応このように取り扱うが、もし法律の推定する内容とは違うことを証明できれば、それをくつがえすことができる場合に使われます。逆にいえば、そうした証明ができなければ推定がはたらき、法律で定めたとおりの取扱いをすることになります。

例 ⑪

民法 772 条 1 項前段

妻が婚姻《こんいん》中に懐胎《かいたい》した子は、夫の子と**推定する**。

この規定により、婚姻中の夫婦の間に生まれた子供は、法律上は夫の子供として取り扱われます。夫婦間に生まれた子供について、その子供の父親は夫であると考えるのは、自然なことだからです。しかし、この規定で定める「推定」とは異なる事実を証明する、つまり夫が自分の子供ではないことを証明することができれば、夫の子供として扱われないのです。

これに対して、『みなす（看做《みな》す、見做《みな》すとも書かれます）』は、**実際には性質が異なるものであっても、一定の法律関係においては同一視して取り扱う場合**、言い換えると、本当は別のものだが、同じ扱いにしてしまう場合に使われます（これを「**擬制《ぎせい》する**」という言い方をすることもあります）。

『推定する』との違いは、『みなす』は、『推定する』とは違って、**別のものであることを証明してもくつがえらない**ということです。

例 ⑫

民法 886 条 1 項

胎児は、相続については、既に生まれたものと**みなす**。

人は、出生することによって権利能力（権利・義務の主体となるための資格のこと）を取得します（民法３条１項→民法レッスン２参照）。民法３条１項を前提にすると、まだ母親のおなかにいる胎児は、出生していないため権利能力が認められず、財産を所有したり権利を取得したりすることができません。

たとえば、妻が２人目の子を妊娠中に、夫が死亡したとします。その後、妻がこの２人目の子を出産した場合、１人目の子は父の財産を相続人として相続できるのに、２人目の子は相続発生時（父の死亡時）にはまだ出生していないため父の財産を一切相続できず、不公平が生じます。

こうした不都合を避けるため、相続の場面では、まだ生まれていない胎児であってもすでに生まれたものとして（生まれたものとみなして）取り扱うことを、民法 886 条１項は定めています。その結果、仮に胎児がまだ生まれていないということを主張・証明しても、相続については胎児に権利能力が認められ、相続人となることができます。『みなす』は、法律の力で、黒いものでも白だということにしてしまうのです。

このように、法律上の用語としては、『推定する』と『みなす』の違いは非常に大きいのです。

2 『適用する』・『準用する』・『例による』

『適用《てきよう》する』とは、特定の法令の規定を、その規定が本来目的としている事項や対象にそのまま当てはめることをいいます。

例 ⑬

民法 附則４条本文（昭和 22 年法律第 222 号）

新法は、別段《べつだん》の規定のある場合を除いては、新法施行《しこう》前に生じた事項にもこれを**適用する**。

『準用《じゅんよう》する』とは、ある事項に関する法令の規定を、これと本質の異なる他の事項に対して、必要な変更を加えた（読み替える）うえで当てはめることをいいます。

たとえば、「○○の場合には、第××条の規定を準用する」とか、「第××条の規定は、○○について準用する」のような使い方をします。このような規定（**準用規定**といいます）は、いちいち準用されている条文の内容をみなければ、準用規定がどういうことを定めているのかがわかりません。

例 ⑭

民法 559 条本文

この節の規定は、売買以外の有償契約について**準用する**。ただし、その有償契約の性質がこれを許さないときは、この限りでない。

売買契約は、契約当事者の双方が対価的な経済的価値を支出する「有償契約」の典型例です。すなわち、売主は目的物を、買主は代金を、それぞれ支出します。そこで、民法は、「有償契約」であるという類似性に着目して、売買以外の有償契約について、当該有償契約の性質がこれを許さないときを除き、売買契約に関する規定を準用しています。

なお、上記は、同じ法律（民法）のなかでの準用の例ですが、他の法律の規定を準用することもあります。

『**例《れい》による**』は、ある事項を規定しようとする場合に、それと本質の異なる（しかし、それと類似性のある）**他の事項に関する制度を借りてきて、その制度によるのと同じように取り扱う**という場合に用います。これは、類似する制度について同じような事項に関する規定をそれぞれに設けることの煩雑《はんざつ》さを避けるためです。したがって、「準用する」の場合と同じような結果を生じます。

ただ、「準用する」が、他の事項に関する個々の規定をとらえて引いてきて、これを他の事項に借用《しゃくよう》しようとするものであるのに対して、「例による」の場合には一つの制度を全体として借用する点にその違いがあります。

例 ⑮

行政事件訴訟法《ぎょうせいじけんそしょうほう》7条

行政事件訴訟に関し、この法律に定めがない事項については、民事訴訟の**例による**。

行政事件（行政法規《ぎょうせいほうき》の適用に関する事件）については、行政事件訴訟法がその裁判手続を定めています。一方、一般の民事事件《みんじじけん》（人と人との間の争いに関する事件）については、民事訴訟法がその裁判手続を定めています。行政事件に関する訴訟と民事事件に関する訴訟は、本来別の制度なのですが、紛争を裁判によって解決する際の手続だという点で類似性があります。そこで、行政事件訴訟法7条では、行政事件訴訟については、民事訴訟に関する制度全体を借用することにしているのです。

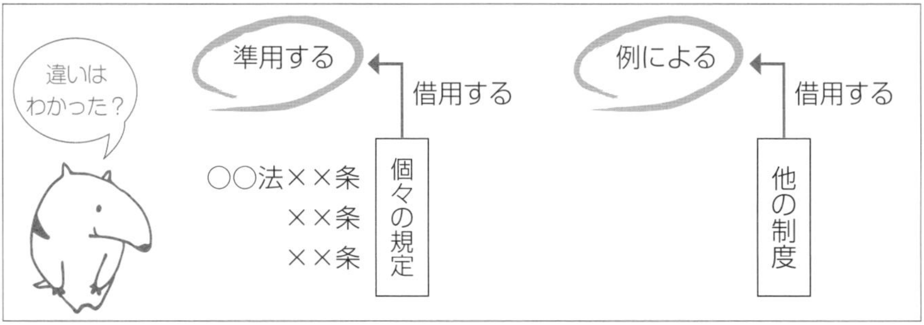

❸『なおその効力を有する』・『なお従前の例による』

これらの用語は、いずれも、法令が新たに制定されたり、改正または廃止（改廃《かいはい》）された場合に、制定・改廃される前の状態を一時的に継続するときに用います。

法令を制定・改廃すると、それ以前の法秩序から新しい法秩序に移行することになります。このとき、制定・改廃される前の法律関係を考慮せずに、いきなり制定・改廃後の新しい法律を適用すると、それまでの法律に基づいて営まれてきた社会生活の安定性が大きく損なわれます。そこで、制定・改廃後の新しい法律関係に円滑に移行できるように、法令を制定・改廃する際に、同時に既存の法律関係を一定期間認める等の必要な措置を定めることがあります。このような措置を**経過措置**《けいかそち》といい、経過措置を定めた規定のことを**経過規定**《けいかきてい》といいます。経過規定は、通常、その法律の附則《ふそく》に置かれます。

『なおその効力を有する』と『なお従前《じゅうぜん》の例《れい》による』は、ともに、この経過規定において用いられる用語です。

『なおその効力を有する』という表現は、**一定の事項について旧法令の規定はその効力を失わずに存続して適用される**ということを意味します。

『なお従前の例による』という表現は、**旧法令の規定はその効力を失っていますが、一定の事項について包括的《ほうかつてき》に旧法令の規定が適用されていたときと同様に取り扱う**ということを意味します。

このように、両者は、新法令や改正法令が施行された後も、一定の範囲内で旧法令を生かしておくために用いられる用語だという点で共通しています。

では、両者の違いはどこにあるのでしょうか。

『なおその効力を有する』という表現については、『なおその効力を有する』という規定によって、改廃前の旧法令は効力を有していることになり、**旧法令の規定を引き続き適用するにあたっては改廃前の規定が根拠となります**。

これに対して、『なお従前の例による』という表現については、新法令や改正法令の施行時には、改廃前の旧法令はすでに効力を失っており、その**旧法令の規定を引き続き適用するにあたっては、『なお従前の例による』という規定が根拠となります**。

そして、この違いから、さらに次の違いが生まれます。

『なおその効力を有する』という表現の場合には、改廃前の規定は効力を存続しているので、**後から改廃前の規定を改正することが可能**です。しかし、『なお従前の例による』という表現の場合は、旧法令はすでに効力を失っているため、その旧法令を改正することはできません。

	なおその効力を有する	なお従前の例による
旧法令適用の根拠	改廃前の旧法令	「なお従前の例による」と定めた規定
旧法令改正の可否	可能	不可能

5 類似する言葉の違いを理解しよう

1 『場合』・『とき』・『時』

『場合』と『とき』は、ともに、「どういうことがあればどうする」というように、**仮定的な条件を表す場合**や、**すでに規定された事項を包括的に引用《いんよう》する場合**に使われます。一般に「〜した場合、〜」、「〜されたときは、〜」のように使われます。

両者は、ほぼ同じ意味で用いられますが、仮定的な条件が二つ重なる場合には、大きい条件に『場合』を、小さい条件に『とき』を用います。

例 ⑯

行政手続法8条1項本文

行政庁は、申請により求められた許認《きょにん》可《か》等《とう》を拒否する処分をする**場合**は、申請者に対し、同時に、当該処分の理由を示さなければならない。

民法 116 条

追認《ついにん》は、別段の意思表示がない**とき**は、契約の時にさかのぼってその効力を生ずる。

憲法 60 条2項

予算について、参議院で衆議院と異なつた議決をした**場合**に、法律の定めるところにより、両議院の協議会を開いても意見が一致しない**とき**、又は参議院が、衆議院の可決した予算を受け取つた後、国会休会中の期間を除いて 30 日以内に、議決しない**とき**は、衆議院の議決を国会の議決とする。

漢字の『時』は、ひらがなの『とき』とは異なり、**一定の時刻や時点を限定する場合**に使われ、『とき』のように仮定的な条件などを示す場合は使われません。

例 ⑰

民法 126 条

取消権は、追認をすることができる**時**から５年間行使しない**とき**は、時効によって消滅する。行為の**時**から 20 年を経過した**とき**も、同様とする。

2 『者』・『物』・『もの』

『者』は、法律上の権利義務の主体となる人格を表す場合に用います。具体的には、『者』は、**自然人《しぜんじん》や法人を表す**ときに使われます。自然人というのは、生身の人間のことで、生身の人間を法人と対比、区別するときに用いられる法律用語です。

『物』とは、**動産や不動産のように権利の対象となる物件**（**有体物《ゆうたいぶつ》**）を表すときに使われます。『者』と区別するため、『者』を「シャ」、『物』を「ブツ」と読むこともあります。

ひらがなの『もの』は、**『者』や『物』ではない抽象的なものを表す**ときに使われます。また、「～する者のうち～するもの」というように、英語の関係代名詞にあたる用法で一定の者または物を限定する場合にも、『もの』が用いられます。

例 ⑱

行政事件訴訟法 36 条

無効等確認《むこうとうかくにん》の訴えは、当該《とうがい》処分又は裁決《さいけつ》に続く処分により損害を受けるおそれのある**者**その他当該処分又は裁決の無効等の確認を求めるにつき法律上の利益を有する**者**で、当該処分若《も》しくは裁決の存否又はその効力の有無を前提とする現在の法律関係に関する訴えによつて目的を達することができない**もの**に限り、提起することができる。

③ 『直ちに』・『速やかに』・『遅滞なく』

これらの語句は、**時間的な即時性《そくじせい》**を表す用語で、日常用語にすればいずれも「すぐに」というような意味になります。しかし、法律用語として用いる場合には若干ニュアンスの違いがあり、**『直ちに』**→**『速やかに』**→**『遅滞《ちたい》なく』**の順で時間的な即時性が弱くなります。

『直ちに』は、**このなかで最も時間的な切迫度が高く、「何をおいても、すぐに行わなければならない」**という意味を表す場合に用います。

『速やかに』は、『直ちに』よりも切迫度が低く、**「できる限り早く行わなければならない」**といった**訓示的《くんじてき》**な（相手方の注意を喚起する）意味を示す場合に用います。

『遅滞なく』は、正当な理由ないし合理的な理由がない限り早く行わなければならないという意味を表す場合に用います。**合理的または正当な理由があれば、多少の遅れは認められます。**

また、『直ちに』と『遅滞なく』の場合には、時間的に遅れたことが法的な義務違反となることが多いのに対して、『速やかに』の場合には、法的拘束力《こうそくりょく》も弱く、遅れたことが必ずしも義務違反になるとは限りません。

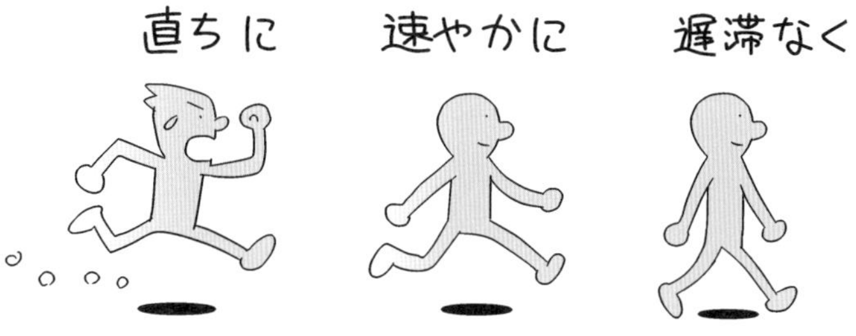

4 『規定』・『規程』

『規定』は、法令のなかの**個々の条項**あるいは個々の条項の内容のことです。

『規程』は、「個人情報保護規程」、「企業倫理規程」、「職務権限規程」などのように、特定の目的のために定められた**一連の条項の総体**をよぶ場合に用います。この規程のなかに定められている個々の条項が『規定』です。

5 『その他』・『その他の』

『その他』・『その他の』は、「の」がついているか否かという違いがあるだけで、意味の違いはないと考えるかもしれません。確かに、日常用語としては、厳密に使い分けられていない面がありますが、法律用語、特に法律の条文で使われる用語としては、両者は厳密に使い分けられています。

『その他』は、「賃金、給料その他これに準ずる収入」というように、『その他』の前に書かれている語句と『その他』の後に書かれている語句とが完全に**並列の関係**にあることを表します。

『その他の』は、「許可、認可その他の処分」というように、『その他の』の前に書かれている語句が、『その他の』の後に書かれている語句の一部となっている場合に用います。すなわち、『その他の』の前の語句は、通常、『その他の』の後に書かれている語句の**例示**としての役割を果たします。

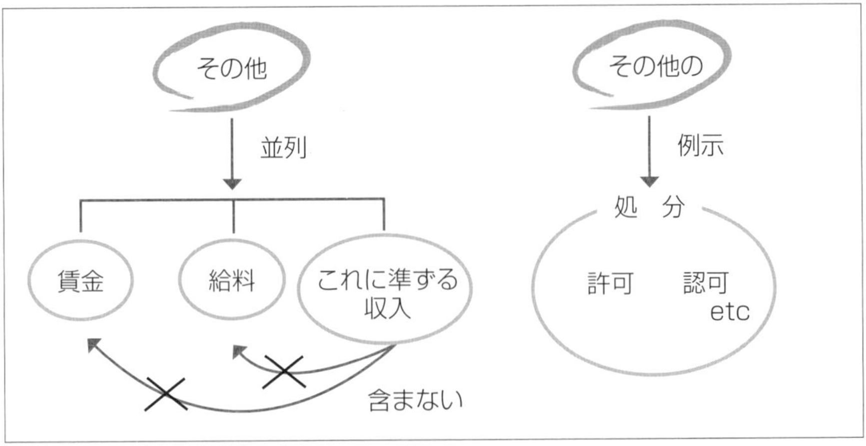

この章のPOINT

- **『及び（および）』**・**『並びに（ならびに）』**と**『又は（または）』**・**『若しくは（もしくは）』**という接続詞は、どの言葉とどの言葉を接続しているのかを丁寧《ていねい》に見極《みきわ》めることが重要である。
- 『以下』・『以後』・『以内』のように『以』のつく用語は基準となる数量・時点等を含むのに対して、『未満』・『後《ご》』・『内《ない》』のように『以』のつかない用語は基準となる数量・時点等を含まない。
- 『推定《すいてい》する』と『みなす』の違いは、その規定の適用対象となっている事実について、それと異なる事実を証明することによって、**その規定の適用を排除することができるかどうか**という点である。
- 『準用《じゅんよう》する』は、他の事項に関する個々の規定を借用《しゃくよう》する場合に使われ、『例《れい》による』は、他の事項に関する制度を借用する場合に使われる。
- 『なおその効力を有する』と『なお従前《じゅうぜん》の例による』は、新法令や改正法令が施行された後も、一定の範囲内で旧法令を生かしておくために用いられる用語である。
- 『場合』と『とき』はともに仮定的な条件を表す言葉である。『時』は、一定の時刻や時点を限定するための言葉である。
- 『者』は自然人や法人のことであり、『物』は有体物のことである。
- 『直ちに』・『速やかに』・『遅滞《ちたい》なく』は、『直ちに』→『速やかに』→『遅滞なく』の順で時間的即時性《そくじせい》が弱くなる。
- 『規程』は、特定の目的のために定められた一連の条項の総体であり、『規定』は、法令や規程のなかの個々の条項のことである。
- 『その他』は、その前の語句と並列する関係で用いられ、『その他の』は、その前に書かれている語句が例示となっている。

column
コラム

行政書士の業務

ここでは、行政書士業務の中心となる、各省庁や市区町村役場などの官公署に提出する書類に関する業務の流れについて、飲食店の営業許可を題材として説明します。

飲食店の営業許可の場合、飲食店を開業しようとする店主からの依頼により、行政書士の業務が始まります。まずはいつ、どこに、どのようなお店を開店したいのかなどを聞き取ります。申請書類の作成について相談に応じることも行政書士の業務であり、報酬を得ることが可能です。

依頼を受けたら、保健所への事前相談等を経て、営業許可申請書を作成します。申請書に添付する配置図などの作成も、権利義務または事実証明に関する書類の作成として、行政書士の業務に含まれます。

作成した申請書を提出し、施設の確認検査等を経て、営業許可証が交付されれば、営業許可申請に関する業務は終了です。なお、店主に代わって申請書を提出することも行政書士の業務に含まれます。

営業許可が下りなかった場合、店主は不服申立てをすることができますが、この不服申立ての手続について店主を代理し、また、その手続について官公署に提出する書類を作成することも行政書士の業務に含まれます。

また、いったん営業許可がなされた後、何らかの理由で許可が取り消されることとなった場合、行政書士は、この取消処分に関して行われる意見陳述のための手続において官公署に対してする行為について、店主を代理することができます。

6

基礎知識

Lesson 1　基礎知識では何が問われるか？

レッスン 1 基礎知識では何が問われるか？

アプローチ

1 基礎知識とは、どのような科目か？

行政書士試験では、これまでに説明してきた、行政書士の業務に必要な法律に関する問題のほかに、行政書士の業務に関連する基礎知識に関する問題も出題されます。これが、行政書士試験の特徴の一つです。この科目は、「**基礎知識**」とよばれます。

基礎知識は、単に出題されるというだけではなく、行政書士試験上、重要な位置づけをされています。それは、行政書士試験の合格基準の一つとして、**基礎知識の科目で４割以上得点することが必要とされている**ということです。現在の試験制度の下では、基礎知識の科目からは 14 問が出題され、配点は 1 問につき 4 点とされていますから、**６問以上正解することが必要**になります。つまり、仮に法律の科目で満点をとったとしても、基礎知識の科目で 6 問以上の正解がなければ、行政書士試験に合格することはできないのです。

基礎知識の分野の配点…14問×4点＝56点
合格に最低限必要な得点…56点×40%＝22.4点
合格に必要な正解問題数…22.4点÷4点＝5.6問

↓

6問以上の正解が必要！

そのため、行政書士試験に合格するためには、法律の勉強はもちろん、基礎知識の科目についても、きちんと勉強をしておかなければなりません。

しかし、ものは考えようです。法律科目の勉強は、最初はどうしてもとっつきにくいものですし、また、ある程度進んだところで、壁にも突き当たるものです。このようなときには、気分転換も兼ねて、基礎知識の科目の勉強をするというのも一つの方法です。たとえば、**インターネットでホームページを閲覧したり、好きな作家の本を読んだりすることも、やり方によっては基礎知識の科目の勉強になり得ます。**

では、基礎知識の科目では何を勉強すればよいのでしょうか。

基礎知識の科目の出題範囲としては、**①一般知識、②行政書士法等行政書士業務と密接に関連する諸法令、③情報通信・個人情報保護**および**④文章理解**に関して出題されるとだけ公表されています。具体的な法律の名前が出題内容とされている法律の科目とは違い、この出題範囲からでは何を勉強すればいいのか、はっきりしません。

そこで、過去の出題を分析して、各分野ごとに、何が問われ、何を学習すべきかをみていきましょう。

2 一般知識の分野で問われることとは？

一般知識の分野では、高校の「政治経済」で学習する内容から、それぞれの分野における学問的な論点《ろんてん》や近年の社会情勢や時事問題まで、幅広い出題がなされます。基礎知識の他の分野についてもいえることですが、このような科目の性質上、完璧な対策をすることは、非常に困難ですし、合格のために効率的であるともいえません。**基本的な事項は理解したうえで、時事に関する事項については、テレビ、新聞やインターネットなどを利用して、世の中では今どういうことが問題になっているのかという問題意識をもつようにするとよいでしょう**。ニュースの解説番組や現代用語の辞典を利用するのも一つの方法です。

以上を踏まえたうえで、これまでの出題傾向から政治、経済および社会の分野に分けて、もう少し細かくみていくことにしましょう。

1 政治の分野では何が問われるか？

政治の分野で、まず理解すべきは、**権力分立制《けんりょくぶんりつせい》や選挙制度といった政治に関する基本的な事項**です。少なくとも基礎的な言葉の意味を理解しておくことは必須といえます。憲法と重なる分野でもあり、ここは確実な得点源にしておきたいところです。

わが国における行政改革やわが国と関連のある国際的な政治の動向といった時事問題も出題されます。これらの事項についてのニュースなどに触れた際には、概略は理解しておくようにしておきましょう。

また、近代以降の政治思想（社会契約説、人権保障の展開）や、主要な国の政治体制なども確認しておきましょう。

2 経済の分野では何が問われるか？

経済の分野では、**国や地方公共団体の財政に関する問題や、日本銀行の役割を含む金融政策などの、わが国をめぐる経済問題**が出題されています。

まずは、**予算・決算や財政政策など、国の財政に関する基本的な事項**を確認しましょう。これと対比しながら、**地方の財政**に関する基本的な事項も理解するとよいでしょう。

次に、**日本銀行の役割**などの金融に関する基本的事項もよく出題されていますから、この点についても学習しておきましょう。

また、経済の分野においても、政治の分野と同様に、時事的な問題が出題されます。そのすべてを把握することは困難ですから、日頃から経済にまつわる話題については、意識的に接するようにしておきましょう。

3 社会の分野では何が問われるか？

社会の分野では、環境問題や日本の社会保障制度（年金、健康保険等）などについての知識が問われます。

社会の分野では、まず、日本の社会保障制度について、その概略を整理しましょう。**年金や医療保険などの社会保険を中心に、社会福祉、公的扶《こうてきふ》助《じょ》および公衆衛生という、社会保障の四本柱**を学習しておきましょう。

また、日本の社会保障制度の問題点については、少子高齢化対策や年金制度改革など、近時注目されている事項も重要です。

そして、社会保障と並んで、社会の分野で問われるのが、環境問題です。環境保護に関する問題は、国際的にも関心が集まっている分野です。**地球環境保護に関する国内および国際的な動向や、国内のリサイクル問題**など、話題性の高い事項が出題されますので、これらに関するニュースにも注意を払っておきましょう。

なお、最近では、近時の社会的な関心も反映して、労働問題に関する出題もなされています。

3 業務関連諸法令の分野で問われることとは？

業務関連諸法令は、「行政書士試験の施行に関する定め」の一部改正により、令和６年度の行政書士試験から、必ず１題以上が出題されることとなった分野です。したがって、基礎知識の他の分野と異なり、過去の出題の積み重ねがなく、まだ本試験における出題傾向といえるものがありません。

しかし、出題範囲は法令であり、上記改正にあたっては、試験科目の内容に明示されている行政書士法のほか、戸籍法、住民基本台帳法が例示されています。

まずは、これらの行政書士業務と密接に関連する諸法令について、法律の目的と、基本的な用語の意味(定義)を覚えておくことが重要です。その上で、最近の改正点などを整理しておくことができれば、なお良いでしょう。

4 情報通信・個人情報保護の分野で問われることとは？

インターネットの急速な普及や携帯電話をはじめとする情報端末の急激な性能向上などにより、**デジタル社会が進展**していますが、情報化の波はとどまるところを知らず、さらに進展しています。このような社会背景の下で、情報セキュリティや個人情報の保護などが大きな問題として、われわれの生活に直面しています。情報通信・個人情報保護の分野では、これらの問題に関する知識が問われます。各分野の出題傾向を説明します。

1 情報通信の分野では何が問われるか？

情報通信の分野は、デジタル社会に関連する各種の法律のほか、**コンピュータやインターネットに関連する技術**など、特に情報の漏洩やコンピュータウイルスへの感染を防止するための情報セキュリティに関する問題などが出されています。

情報通信の分野で重要なのは、まず**デジタル社会に関連する法律**です。どのような問題を背景に、どのような内容の法律が制定されているか、その概略を整理しておきましょう。

〈デジタル関連法の例〉（カッコ内は法律の正式名称）

・迷惑メール防止法（特定電子《とくていでんし》メールの送信の適正化等に関する法律）

・プロバイダ責任制限法（特定電気通信役務提供者《とくていでんきつうしんえきむていきょうしゃ》の損害賠償責任の制限及び発信者情報の開示《かいじ》に関する法律）

・e－文書法（民間事業者等が行う書面の保存等における情報通信の技術の利用に関する法律）
・不正アクセス禁止法（不正アクセス行為の禁止等に関する法律）

など

また、情報通信の分野では、日進月歩どころか秒進分歩の速さで、次々と新たな技術が開発されています。そうした新しい技術のすべてを把握することは困難ですから、日頃から気にとめておくようにして、マスメディアなどで特に話題になった用語については、少なくともその意味は確認しておきましょう。

〈過去に出題された例〉

・バナー広告
・バイオメトリクス認証《にんしょう》
・IoT（Internet of Things）
・ウィキペディア
・地上デジタルテレビ放送　　など

2 個人情報保護の分野では何が問われるか？

個人情報保護の分野では、主として、**個人情報保護法（個人情報の保護に関する法律）**に関する知識が問われます。この分野は、基礎知識の科目のなかでは、比較的出題範囲が明確であり、**条文の内容を中心に出題されます**から、頻出事項をきちんと理解し、確実に得点できるようにしておきたいところです。

個人情報保護法については、まず、「個人情報」や「個人情報取扱事業者」などの基本的な用語の意味を理解したうえで、これらに該当するものと該当しないものについて、それぞれ代表的なものを覚えておきましょう。たとえば、「個人情報」は生存する個人の情報であり、外国人に関する情報は含まれますが、会社の情報や亡くなった人の情報は含まれません。さらに、個人情報取扱事業者が負う義務も学習しておけば、なおよいでしょう。

また、個人に関する情報については、個人情報のほか、「要配慮個人情報」、「匿名加工情報」、「仮名加工情報」および「個人関連情報」などが規定され、それぞれ規制が設けられています。これらについてもそれぞれがどのような情報と定義され、どのような規制がなされているか、個人情報と対比して学習しておくとよいでしょう。

5　文章理解の分野で問われることとは？

文章理解の分野では、文字どおり、文章の読解能力が問われます。具体的には、次の４種類の問題が出題されています。

① 文章整序問題	一連の文章をバラバラにしたものを、正しい順序に並べ替える問題
② 空欄補充問題	問題文中の空欄に適切な語句や文章などを入れる問題
③ 文章内容把握問題	問題文の趣旨や内容を読み取り、選択肢の文章がこれと合致するか否かを問う問題
④ 下線部説明問題	本文中の下線部分の意味などを問う問題

これまでの試験制度の下では、文章理解の分野からは３問が出題され、近年の出題の中心は②空欄補充問題となっています。**文章理解分野の問題は、法律の科目の問題と違い、一定の知識がなければまったく歯が立たないということがありません。**できれば、個人情報保護の分野とともに、得点源にしたいところです。文章の読解能力は、行政書士になった後も必須の能力ですから、問題練習等により、今から自分なりの解き方を身につけるようにしましょう。

この章のPOINT

- 基礎知識の科目で**6問以上の正解**がなければ、行政書士試験に合格することはできない。
- 基礎知識は、大きく分けて、①一般知識、②行政書士法等行政書士業務と密接に関連する諸法令（業務関連諸法令）、③情報通信・個人情報保護および④文章理解の四つの分野から出題される。
- 一般知識の分野については、基本的な事項を理解したうえで、トピカルな事項については、テレビ、新聞やインターネットなどを利用して問題意識をもつようにする。
- 業務関連諸法令の分野では、行政書士法、戸籍法、住民基本台帳法等、行政書士業務と密接に関連する諸法令の条文について、法律の目的と、基本的な用語の意味（定義）を覚えておく。
- 情報通信の分野では、デジタル社会に関連する各種の法律について、どのような問題を背景に、どのような法律が制定されているか、その概略を整理しておく。
- 個人情報保護の分野では、**個人情報保護法**について、基本的な用語の意味と、これらに該当するものとしないものの代表例を整理する。また、要配慮個人情報、匿名加工情報、仮名加工情報および個人関連情報などの個人に関する情報について、その意味と規制の内容を、個人情報と対比して学習しておく。
- 文章理解の分野では、例年、①文章整序問題、②空欄補充問題、③文章内容把握問題、④下線部説明問題のなかから、3問が出題される。

column コラム

試験日から逆算しての勉強法

行政書士試験の日（例年11月の第2日曜日）から逆算して、どのように学習を進めればよいか、その一例を示すと次のようになります。

（1）学習開始～5月上旬（試験日の6か月前まで）：基礎力充実期

基本テキストの精読により基礎的な知識を固めましょう。細かい知識にはこだわらず、学習を進めることが肝要です。学習の開始時期が早いほど、基礎力の充実に時間を割くことができます。

（2）5月上旬～8月上旬（試験日の3か月前まで）：実力養成期

知識のインプットに加え、問題演習による知識のアウトプットで、知識の定着度を検証しましょう。問題演習には、重要な過去問題と予想問題の両方が掲載されているものが適しています。解けなかった問題は基本テキストで確認し、テキスト精読と問題演習を繰り返すことが肝要です。

（3）8月上旬～10月下旬（試験日の2週間前まで）：実力完成期

同じ問題集を少なくとも2回は繰り返して解き、弱点を克服していきましょう。また、近年の本試験問題や直前予想模擬試験を解き、本試験の難易度や時間配分などを確認しておいてください。

（4）10月下旬～試験日：直前期

全科目にわたり、最重要知識と過去問題を確認しておきましょう。特に、自分の弱点は重点的に確認し、マスターしておきましょう。そのうえで、時間があれば、近年出題されるようになった分野を確認しておくとよいでしょう。

法律科目の学習のヒント

本格的に行政書士試験の学習をするにあたってのアドバイス

★本格的に行政書士試験の学習をするにあたってのアドバイス

前編までで行政書士試験の出題範囲となっている科目について、それぞれの科目の概要・全体像を説明してきました。いわばそれぞれの法律の骨組みにあたる部分です。

行政書士試験に合格するには、これらの骨組みの上にさらに肉づけをしていかなければなりません。

そこで、本書の最後で、今後、本格的に行政書士試験の受験に向けて学習を始めるにあたって、試験の出題範囲の主要部分となっている法律科目を勉強するコツをいくつかお話ししたいと思います。

1 各科目の全体像をまずおおまかに理解する

法律の学習をするときには、**はじめにこれから学習しようとする法律の全体像を把握するのがよい**とされています。全体像がわからずに個別の知識を学習しても、効率が悪くなかなか身につかないからです。

といっても、初学者がいきなり一般向けの法律書を手にしても、どの部分がその法律の骨組みにあたるのかを判断するのは困難です。そのため、本書では、行政書士試験の出題範囲となっている各法律について、まずは視覚的にイメージをつかんでもらえるよう、「**体系樹**」を示しました。そのうえで、各レッスンにおいて、各法律の全体像を10頁～数十頁のなかで説明してきました。

今後、それぞれの法律について、個別の問題を学習するに際しては、その問題が本書で説明した全体像のどこに位置づけられるのか、言い換えると、今学習している箇所がその法律のどの部分に相当するのかを絶えず意識しながら学習すると、イメージがつかみやすく、また理解もしやすくなります。

2 法律の目的や法律上の制度あるいは条文の趣旨を重視する

さまざまな法律は、それぞれがある目的を実現するために定められています。そして、法律のなかには、条文の最初にその**法律の目的**を定めているものもあります。

ただ、最近の法律は目的を定める規定を置いていることが多いのに対し、昔からある法律は目的を定めていないものが多いという傾向があります。行政書士試験の出題範囲となっている法律のなかでは、行政法に属する法律は目的を定めているものが多いのですが、民法や商法では法律の目的は定められていません。

そして、法律で定められているさまざまな制度や個々の条文にも、その制度や条文が存在する理由・趣旨があります。

法律の学習をする際には、こうした**法律の目的**、**制度趣旨《せいどしゅし》**、**条文の趣旨**を理解しておくと、その後の学習効率が大きく高まります。

3 読みにくい法律の条文を読むコツ

法律の条文のなかには、一つの文章が非常に長いものや、字句やかっこ書《がき》が入り組んで難解なものがあります。こうした読みにくい条文を少しでも理解しやすくするヒントをいくつか説明しましょう。

1 主語と述語をはっきりさせる

日本語は、主語が文章のはじめにあって、述語は文章の末尾に置かれています。そのため、一つの文章が長くなっている条文は、主語と述語が離れ、その間に複雑な字句が挟まれているため、そのまま読んだのでは、文章の構造を読み取るのが難しくなります。

しかし、文章は、基本的に、主語と述語があって、それにさまざまな修飾語句がくっついているという構造でできています。この点は法律の条文であっても同じです。

そこで、読みにくい条文は、**まずその条文の主語（あるいは主語的なもの）と述語をはっきりさせましょう**。

述語は、通常は文末をみればわかりますが、接続詞（「及び」や「又は」など）で、一つの主語に対して複数の述語がつながれていることがあるため、注意が必要です。

また、条文では、主語（あるいは主語的なもの）の後ろには、一般に「、」（読点）がついていますので、主語を判断するときの目安になります。

2 「………である場合」「………のとき」といった条件について述べられている箇所は、ひとくくりにして条文を単純化する

長い条文では、「………である場合」「………のとき」といった**条件文**がくっついていることがよくあります。この「場合」「とき」が、仮定的な条件を示すのに使われる言葉であることは、説明しました。

「………である場合」「………のとき」といった条件文を含む条文は、その**条件文の部分をひとくくりにして**、その条文の本来の主語と述語をはっきりさせると、条文の構造がわかりやすくなります。

3 かっこ書をとばして読んでみる

条文のなかには、文章中にかっこで書かれている部分（**かっこ書《がき》**）が挿《そう》入《にゅう》されているものがあります。行政書士試験の出題範囲となっている法律のなかでは、各種の行政法や会社法でよくみられます。

このようなかっこ書のある条文は、最初からかっこ書の部分も一度に読むと、その部分でその条文の本文部分の文章の流れがとぎれてしまい、読みにくく、意味もわかりづらくなります。

すでに説明したとおり、このかっこ書は、文章中の字句の説明、例外的な場合を示すのに使われます。つまり、かっこ書は、主としてその前の字句を補足する内容ですから、**長い条文ではいったんかっこ書をとばして読んで**、条文に書かれている内容を把握し、その後にかっこ書の部分を確認するとよいでしょう。

行政手続法１条１項

この法律は、処分、行政指導及び届出に関する手続並びに命令等を定める手続に関し、共通する事項を定めることによって、行政運営における公正の確保と透明性（行政上の意思決定について、その内容及び過程が国民にとって明らかであることをいう。第 46 条において同じ。）の向上を図り、もって国民の権利利益の保護に資することを目的とする。

↓ **かっこ書をとばしてみるとわかりやすくなる！**

この法律は、処分、行政指導及び届出に関する手続並びに命令等を定める手続に関し、共通する事項を定めることによって、行政運営における公正の確保と透明性の向上を図り、もって国民の権利利益の保護に資することを目的とする。

なお、かっこ書は、字句の定義を表す場合にも用いられます。かっこ書のうち、「以下○○という。」や「以下本章において○○という。」という表現が用いられているものがこれに該当します。このような字句の定義を表すかっこ書は、本文部分の字句を短い言葉に置き換えてくれていることがあります。

そこで、上で述べたようにかっこ書部分をとばして読んだだけではまだわかりづらい条文の場合には、上の場合とは逆に、**かっこ書のなかの定義を用いて条文を読む**（かっこ書のなかの定義で置き換えられている、本文部分の字句をとばして読む）とわかりやすくなることがあります。

行政事件訴訟法９条１項

処分の取消しの訴え及び裁決の取消しの訴え（以下「取消訴訟」という。）は、当該処分又は裁決の取消しを求めるにつき法律上の利益を有する者（処分又は裁決の効果が期間の経過その他の理由によりなくなつた後においてもなお処分又は裁決の取消しによつて回復すべき法律上の利益を有する者を含む。）に限り、提起することができる。

↓
- 前半のかっこ書は字句の定義を表すかっこ書
  かっこ書の定義に置き換えて読んでみる
- 後半のかっこ書は字句を説明するかっこ書
  かっこ書をとばして読んでみる

取消訴訟は、当該処分又は裁決の取消しを求めるにつき法律上の利益を有する者に限り、提起することができる。

4 条文の読み方～条文に何が書いてあるのかを意識しながら読む

1 要件と効果

条文には、おおまかにいって「要件《ようけん》」と「効《こう》果《か》」が定められています。要件（法律要件ともいいます）とは、備えておかなければならない条件のことで、**この要件を満たすと、効果（法律効《ほうりつこう》果《か》ともいいます）、つまり法律の条文に定められた結果が生じる**のです。言い換えると、要件とは、効果が生ずるのに必要な条件ということで、法律の条文では、主に、この要件と効果が定められているというわけです。

では、法律の条文のなかのどの部分が要件で、どの部分が効果になるのでしょうか。

条文の文章は、きわめて単純化していうと、たとえば「誰が～したときは……する」というように書かれています。このなかの「～したときは」までが「要件」であり、「……する」の部分が「効果」です。

次の条文をみてみましょう。

> **民法 555 条**
>
> 売買は、当事者の一方がある財産権を相手方に移転することを約し、相手方がこれに対してその代金を支払うことを約することによって、その効力を生ずる。

これまでの説明に当てはめて考えてみると、この条文では、要件は、「当事者の一方がある財産権を相手方に移転することを約し、相手方がこれに対してその代金を支払うことを約すること」の部分です。この要件を満たしたときには、「その（＝売買の）効力を生ずる」という効果が生ずるというわけです。

このように、条文は、簡単にいうと「～のときは（要件）……になる（効果）」ということを定めたものといえます。したがって、条文を読むときはもちろん、法律を学習する際には、この要件と効果を重視する必要があります。

2 原則と例外

法律の条文（あるいは法律上の制度）には、多くの場合、その例外があります。法律の学習では、何が原則で、何が例外であるかを常に意識しながら勉強していくことが重要です。

法律には、さまざまな制度（この制度が原則にあたる部分です）が定められていますが、その一方で、原則だけで押し通そうとすると、柔軟性を欠き、現実にそぐわないものとなってしまうことがあります。そこで、法律は原則を定めながらも、あわせて原則に対する例外が規定されていることが多いのです。

法律の条文で、この原則と例外の関係を表す典型的な表現は、いわゆる**ただし書《がき》**の「但《ただ》し、〜の場合は、この限りでない。」という表現です。ただし書に対する本文部分が原則であり、ただし書が例外です。このほかにも、「前項の規定にかかわらず、〜」や「〜を除き、」などのように、他の条項との関係で原則例外関係になっているものもあります。

たとえば、憲法では、国会議員には、不逮捕特権《ふたいほとっけん》が認められます（憲法50条）。すなわち、両議院の議員は、国会の会期中は逮捕されず、会期前に逮捕された議員は、その議院の要求があれば、会期中これを釈放しなければなりません。この規定は、国会議員として、自由な政治活動を保障し、職務を全《まっと》うしてもらうとともに、議院の十分な審議を保障する、という目的から設けられています。

しかし、この不逮捕特権には例外があります。条文（憲法50条）中の「法律の定める場合を除いては」の部分が例外にあたります。そして、この不逮捕特権の例外である「法律の定める場合」の具体的な内容は、国会法33条で、①院外《いんがい》における現行犯の場合と、②議院の許諾《きょだく》がある場合が定められています。

このように、原則例外関係があるものについては、**まず原則にあたる制度の存在理由（趣旨）を理解したうえで、なぜ例外があるのかを考えることが必要**です。

以上のとおり、法律の条文には、法律の制度に関する要件と効果が定められており、それにプラスしてただし書や例外が定められているのです。簡単にいうと、たったこれだけのことを延々と繰り返しているのですから、

あとは、法律独特の言い回しや
言葉に慣れるだけです。

5 法律用語の定義・意味を理解する

法律の学習をしていると、さまざまな用語が出てきます。そのなかには、法律独特の用語もありますし、日常生活で用いられる用語もあります。こうした用語は、法律を学習するうえでは、学習の出発点ですので、軽視できません。

1 法律用語と日常用語の違い

法律を学習していて出てくる用語のなかには、日常用語で使われる用語もありますが、なかには法律用語として使われるときには、日常用語とはまったく異なる意味で使われている用語もあります。

本書の民法編で出てきた「**善意**《ぜんい》」・「**悪意**《あくい》」はその典型的な例ですし、商法編で出てきた「**社員**《しゃいん》」もその例です。

こうした日常用語としても一般的に用いられている用語は、はじめのうちは学習していてもどうしても日常用語の意味のほうに引きずられがちですが、日常用語としての意味と法律用語としての意味の違いを理解して、**法律用語としての意味に早く慣れてしまう**ことです。

2 条文上の用語と学問上（講学上）の用語の違い

法律の学習をしていると、法律の条文で用いられている言葉と、基本書や法律学の書籍などを読んでいる際に用いられている言葉が違っていることがあります。法律の条文では同じ言葉が用いられているのに、書籍では別の言葉で説明されているので、はじめのうちは読んでいて戸惑《とまど》うことがあります。

たとえば、本書の行政法編で、行政行為は、許可・認可・特許・免許・禁止などさまざまに分類されていることを説明しました。これは、行政法という学問上、法律に規定されているさまざまな行政行為の性質やその効果に着目して分類されているのですが、法律の条文ではこのように区別して規定しているわけではありません。法律の条文では、「**許可**」と書かれていても、学問上（講学《こうがく》上）は、それが「特許」「認可」「免許」に分類されたりするのです。

学問（法律学も学問の一つです）というのは、整理し、体系化することを目的の一つとしていますから、法律の条文で同じ「許可」といった言葉が用いられていても、学問上（講学上）は、その行政行為の性質や効果から、「特許」に分類されたり、「認可」に該当すると説明されたりするのです。

もう一つ例をあげると、民法で「**取消《とりけ》し**」というと、行為の当初にさかのぼって効果がなくなることを意味します（これを遡及効《そきゅうこう》といいます）。売買契約を取り消すと、売買契約を結んだ時にさかのぼって、売買契約の効果が失われるのです。これに対し、道路交通法の免許の「取消し」は、免許が付与《ふよ》された時にはさかのぼらず、「取消し（処分）」の時点から免許を付与したという効果がなくなります。

このように、同じ「取消し」という言葉が用いられているのに、その内容（効果）が異なるというのでは混乱します。そこで、もともと一般的な法律用語としての「取消し」には遡及効が認められていることから、遡及効がない道路交通法の免許の「取消し」は、学問上（講学上）は「撤回《てっかい》」とよぶことにして、一般的な法律用語としての「取消し」とは分けて考えているのです。

このような例は、ほかにもあります。

このように、条文で使われている用語と講学上の用語が違っていることがあるということをあらかじめ知っておくと、混乱することも少なくなります。そのうえで、**講学上の用語は、あくまでその対象となっている学問（分野）において、整理、体系化して説明するのに必要だからつくられた言葉**だということを知っておくとよいでしょう。

3 類似の制度・用語を対比して理解する

行政書士試験の出題範囲である各法律には、それぞれにいろいろな制度や用語が出てきます。こうした制度や用語は、それ自体を単独で理解できればそれでよいのですが、他の類似した制度や用語と対比することによって、理解しやすくなることがあります。

一例をあげると次のとおりです。

① 民法における**3種類の債務不履行《さいむふりこう》**の内容、各種の担保責任《たんぽせきにん》の内容

② **商法の制度と民法の制度**を対比する

③ 行政手続法における**聴聞《ちょうもん》手続と弁明《べんめい》手続**

④ **行政不服審査法《ぎょうせいふふくしんさほう》上の教示《きょうじ》制度と行政事件訴訟法《ぎょうせいじけんそしょうほう》上の教示制度**

このような**類似した制度の内容や手続、効果の違いをしっかり意識**しながら整理していくと、複数の制度を効果的に理解することができます。

6 事例は図を書いて理解しよう

行政書士試験の出題分野のなかでも、特に民法の分野では、**事例**をもとにした問題が出題されます。

たとえば、次のような事例を冒頭に設定して問題が出題されます。

例 ❶

Aに対して債務《さいむ》を負うBは、Aのために、自己が所有する家屋《かおく》に抵当権《ていとうけん》を設定し、その抵当権《ていとうけん》の設定登記《せっていとうき》を経《へ》た。

このような事例に出くわしたときには、問題文を読みながらその事例を**次のような図に書き表して一目でわかるようにしておく**と、法律関係を簡単に整理でき、何が問われているのかを考えるときに便利です。

〈図1〉

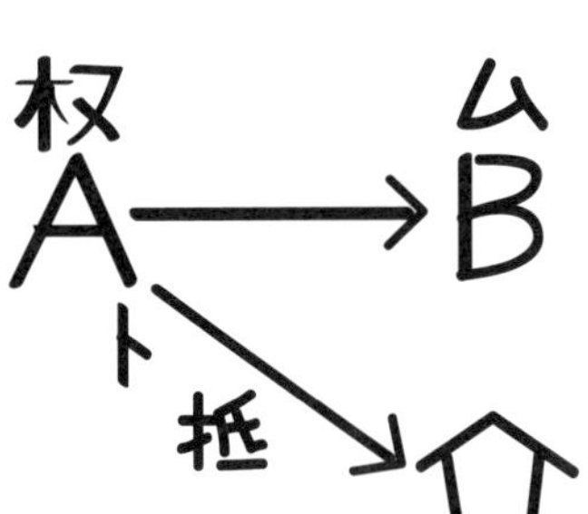

(注) 図中の「権」は「権」の略字で「権利者」を意味する。

「ム」は「務」をカタカナにしたもので、「債務者」を意味する。

「抵」は「抵当権」のことである。

「ト」は「登記」のことであり、設定登記がなされていることを意味する。

矢印は、鏃《やじり》の側が義務者（債務者・抵当権設定者）を、鏃の反対側が権利者（債権者・抵当権者）を表す（請求する側から請求される側に向けて矢を書き、矢の向きで債権者が債務者に権利を有していることを表している）。

実際の行政書士試験の問題は、例①のような事例をベースとして、これにさらに事実関係がつけ加えられたり、別の登場人物ＣやＤがかかわってきたりします。そのため、法律関係を図に表していなければ、そのつど、もとの事例を読み返すということになりかねません。

図は自分だけが理解できればよいのですから、図のなかに、「権利者」「債務者」「抵当権」「設定登記」などと、丁寧《ていねい》に書く必要はありません。図１のように、自分が混乱しない範囲で、略語、カタカナ、簡単な絵などを使って、手《て》短《みじか》に書けばよいのです。

ただ、注意したほうがよいのは、あるときには、売主を左に書き、買主を右に書いていたのに、別のときにはそれとは逆に、買主を左に書き、売主を右に書いたりするようなことはすべきではありません。このように、その時々で書き方を変えたのでは、混乱しやすくなりますし間違いのもとになります。**一定のルールをつくって、どのような形で事例が出てきてもそのルールどおりに図を書くことが大切です**。

次の事例で考えてみましょう。

例 ❷

Ａに対して債権《さいけん》を有するＢは、自己の債権を保全するため、Ａが所有する家屋に抵当権の設定を受け、その抵当権の設定登記を経た。

例②は、例①と比べると、ＡとＢの立場が逆になっているだけで、ともに、債権者が債務者に対して有している債権を保全《ほぜん》するために、債務者が所有する家屋に抵当権の設定を受けたという内容の事例です。つまり、事例に現れている法律関係は同じです。

しかし、例①ではＡが債権者であるのに対して、例②ではＢが債権者です。この例②の場合に、登場している順に図に書いて先に登場しているＡを左に書いてしまうとどうでしょう。

〈図2〉

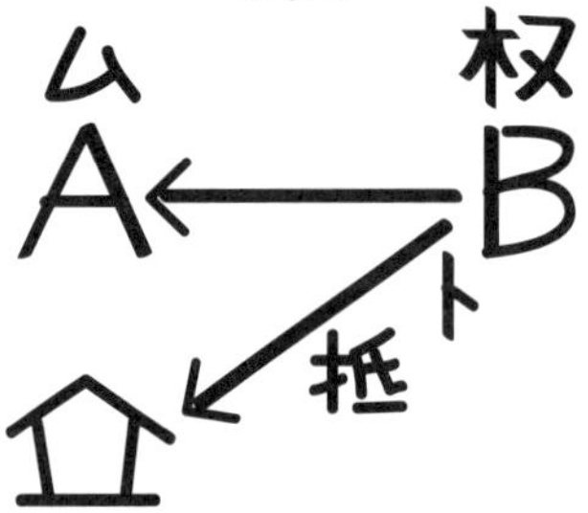

〈図3〉

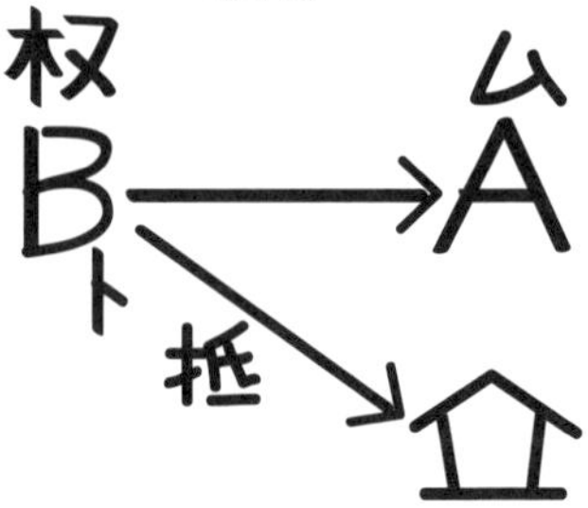

図２と図３は、ともに例②を図にしたもので、例①のＡとＢの立場が入れ替わっただけの法律関係を表していますが、どちらが例①で表した法律関係と同じだと考えやすいでしょうか。

図はあくまでも考えるための道具・ツールにすぎませんから、**同じような問題が出たときに、同じような思考系統で考えられるように書くべき**です。したがって、図１のように権利者を左側に書くと決めたら、例②のようにＡとＢの登場する順序が逆になっても、登場した順序で図を書くのではなく、図３のように権利者を左側に書くようにするのがよいでしょう。

なお、事例問題によっては、事例のなかで起こった出来事の順序（時系《じけい》列《れつ》）が重要になってくることがあります。そのような場合には、図のなかに、起こった出来事の順番で、①、②、③………というように番号をつけ、それとともに必要に応じて起こった出来事も書いておくとよいでしょう。

このような図を書いて考えたほうがよい事例というのは、実はそれほど多くのパターンがあるわけではありません。代表的なものとしては、

① 売買契約や賃貸借《ちんたいしゃく》契約などの契約に関するもの

② 代理に関するもの

③ 不動産の二重譲渡《にじゅうじょうと》などの物権変動《ぶっけんへんどう》に関するもの

④ 相殺《そうさい》や債権譲渡《さいけんじょうと》に関するもの

⑤ 抵当権や保証のような担保《たんぽ》に関するもの

⑥ 相続に関するもの

などです。

　こうした分野に関する事例について、あらかじめ自分なりの図の書き方を用意しておけばよいでしょう。

　図の書き方を決めるときには、必ずしもすべてを自分で考える必要はありません。**学習用に使用している書籍の図示の方法を参考にして、自分なりの図解の仕方を決めればよい**のです。

　最初は図を書くのが面倒かもしれませんが、一定のルールをつくり図に書き表すことに慣れてくると、図を書かないときに比べ、はるかに便利でわかりやすいことに気がつくと思います。

7 判例の学び方

　最近の行政書士試験では、**判例《はんれい》の知識**が重要視されています。

　判例とは、一言でいうと、裁判において裁判所が示した法律的な判断のことです。

　裁判所は、裁判所に持ち込まれた事件について、その事実関係を明らかにし、明らかとなった事実に法律を適用して事件を解決します。事件を解決する際に、裁判所が示す法律的な判断が判例なのです。

　判例は、一定の法律に関する解釈であり、**その法解釈が先例《せんれい》として、後に同様の他の事件に適用される可能性があります**から、われわれの生活に大きな影響を及ぼしています。そのため、行政書士試験でも、判例の知識は重視されているのです。

　判例は、具体的な事件について裁判所が下す判断ですから、**事件のイメージをもつと理解しやすく、また、記憶にも残りやすくなります**。特に、憲法では、事件の概要、その事件で問題となった点、判旨《はんし》（判決の要旨）をセットにして理解しておくとよいでしょう。

― MEMO ―

– MEMO –

毎日コツコツ「継続は力なり」です！
最後まであきらめないで！

著者紹介

ユーキャン行政書士試験研究会

本会は、行政書士試験対策本の制作にあたって、長年にわたり行政書士試験の受験指導を行ってきた著者を中心に結成されました。執筆者の専門性に加え、通信講座の教材制作で蓄積したノウハウを生かし、よりわかりやすい書籍づくりのために日々研究を積み重ねています。

■ 直井《なおい》　雅人《まさと》（監修）

弁護士（東京弁護士会所属）
弁護士として実務に携わる傍ら、司法試験や東京商工会議所主催「ビジネス実務法務検定試験®」の教材執筆、受験指導など法務教育にも力を注いでいる。行政書士試験の法律系科目にも造詣が深い。

■ 田中《たなか》　孝司《こうじ》

民間企業での30年近くに及ぶ実務経験を生かし、行政書士試験の受験指導を始める。私法分野（民法、商法）について幅広い知識をもち、行政書士試験受験対策用に執筆した教材も多数。

■ 藤井《ふじい》　正一《しょういち》

2002年から行政書士試験の受験指導を始める。特に、公法分野（憲法、行政法）を得意としており、出題傾向の分析には定評がある。行政書士試験の受験用教材の執筆、講師経験も豊富。

■ 光浦《みつうら》　太《ふとし》

15年以上にわたり行政書士試験の受験指導を行っている。出題範囲の広い基礎知識分野を効率的に指導するノウハウをもつ。公務員試験の一般知識分野にも精通している。

●**法改正・正誤等の情報につきましては、下記「ユーキャンの本」ウェブサイト内「追補（法改正・正誤）」をご覧ください。**
https://www.u-can.co.jp/book/information

●**本書の内容についてお気づきの点は**
・「ユーキャンの本」ウェブサイト内「よくあるご質問」をご参照ください。
https://www.u-can.co.jp/book/faq
・郵送・FAX でのお問い合わせをご希望の方は、書名・発行年月日・お客様のお名前・ご住所・FAX 番号をお書き添えの上、下記までご連絡ください。
【郵送】〒 169-8682 東京都新宿北郵便局 郵便私書箱第 2005 号
ユーキャン学び出版 行政書士資格書籍編集部
【FAX】03-3378-2232
◎より詳しい解説や解答方法についてのお問い合わせ、他社の書籍の記載内容等に関しては回答いたしかねます。

●**お電話でのお問い合わせ・質問指導は行っておりません。**

2025 年版 ユーキャンの行政書士 はじめてレッスン

2011 年 2 月28日　初　版　第 1 刷発行
2024 年10月11日　第 15 版　第 1 刷発行

編　者　ユーキャン行政書士試験研究会
発行者　品川泰一
発行所　株式会社 ユーキャン 学び出版
〒 151-0053
東京都渋谷区代々木 1-11-1
Tel 03-3378-1400

ＤＴＰ　有限会社 中央制作社

発売元　株式会社 自由国民社
〒 171-0033
東京都豊島区高田 3-10-11
Tel 03-6233-0781（営業部）

印刷・製本　カワセ印刷株式会社

※ 落丁・乱丁その他不良の品がありましたらお取り替えいたします。お買い求めの書店か自由国民社営業部（Tel 03-6233-0781）へお申し出ください。

 ISBN 978-4-426-61604-5